Jānis Sīlis

LATVIEŠU-ANGĻU
SARUNVĀRDNĪCA

LATVIAN-ENGLISH
PHRASE-BOOK

JUMAVA

UDK-p 801.3-883-20
Si 478

Recenzente *Līga Streipa*
Vāka makets sagatavots
grafiskā dizaina firmā *"McĀbols"*

ISBN 9984-506-82-7   © Apgāds "Jumava", 1996

SATURS　　CONTENTS

4 SATURS
CONTENTS

VĀRDI UN IZTEICIENI

WORDS AND EXPRESSIONS

Uzruna

Addressing People

Brauna kungs	Mister (Mr) Brown
... kundze	Missis (Mrs), Madam...
... jaunkundze	Miss...
Ser	Sir
Dāmas un kungi!	Ladies and gentlemen!
Priekšsēdētāja kungs!	Mr Chairman!
Godājamie kolēģi!	Honoured colleagues!
Dārgie draugi!	Dear friends!

Uzruna vēstulēs

Forms of Address in Letters

Godātais (dārgais) ... kungs!	Dear Mr ...,
Cienījamā (dārgā) ... kundze (jaunkundze)!	Dear Mrs (Miss) ...,
Godātais kungs (ser)!	Dear Sir,
Ar [patiesu] cieņu, ...	Yours sincerely, ...
	Yours cordially, ...
	Yours faithfully,...

Sasveicināšanās, atvadīšanās

Greetings, Farewells

Labdien!	**Good day! Good afternoon! How do you do!** *(iepazīstoties, oficiālā situācijā)*

Labrīt!	**Good morning!** *(oficiālā situācijā)*
Labvakar!	**Good evening!** *(oficiālā situācijā)*
Sveiki!	**Hello! Hi!**
Kā jums klājas?	**How are you?**
Paldies, labi.	**Fine, thank you.**
Un jums?	**And you?**
Arī labi, paldies.	**I'm fine, too, thank you.**
Ciešami.	**Not bad.**
Var iztikt.	**So-so.**
Priecājos jūs redzēt.	**Glad to see (meet) you.**
Atvainojiet, man jāiet.	**Excuse me, I must (leave) be going.**
Uz redzēšanos!	**Good-bye!** *(oficiālā situācijā)*
Atā (svieki)!	**Bye-bye! See you!**
Uz drīzu tikšanos!	**Until we meet again!**
Visu labu!	**Good luck! All the best!**
Laimīgu ceļu!	**Bon voyage!**
Nododiet sveicienus...	**Say hello to...**
	Give my love to ...
	Give my best regards to ...

Pateicība / **Thanks**

Paldies!	**Thank you.**
Lūdzu!	**You're welcome.**
Pateicos jums!	**Thank you very much.**
Liels paldies!	**Thanks a lot.**
Esmu jums ļoti pateicīgs.	**I'm very grateful (much obliged) to you.**
Jūs esat ļoti laipns.	**You're very kind.**
Paldies par ielūgumu (apsveikumu, laba vēlējumu, palīdzību).	**Thank you for the invitation (congratulations, the good wishes, your help).**

Paldies par uzmanību (padomu).	Thank you for your attention (advice).
Pateicos par viesmīlību (sirsnīgo uzņemšanu, pakalpojumu).	Thanks for your hospitality (the warm reception, the help).
Nav par ko.	Don't mention it.

Lūgums — Requests

Vai drīkst?	May I?
Vai drīkstu ienākt?	May I come in?
Vai jūs, lūdzu, nevarētu man palīdzēt?	Could you help me, please?
Vai varētu lūgt jūsu palīdzību?	May I ask a favour of you?
Lūdzu, dodiet man...	Please give me ...
Lūdzu, pagaidiet mani.	Please wait for me.
Vai drīkstu apsēsties šeit (uzsmēķēt, apskatīt)?	May I sit here (smoke, have a look)?
Lūdzu, pavadiet mani.	Please accompany me.

Ielūgums — Invitations

Ienāciet (sēdieties), lūdzu.	Come in (sit down), please.
Es gribētu uzaicināt jūs uz kafejnīcu (koncertu).	I'd like to invite you to a café (a concert).
Paldies, taču, šajā laikā būšu aizņemts.	Thank you, but I'll be busy then.
Kur (cikos) mēs satiksimies?	Where (when) shall we meet?
Vai šis laiks jums ir pieņemams?	Is that time convenient?

Piekrišana, atteikums

Agreement, Refusal

Labi.	Good. Fine.
Protams.	Of course.
Jā, taisnība.	Yes, that's true.
Neiebilstu.	I've no objection.
Ar prieku.	With pleasure.
Tas mani apmierina.	That's satisfactory (suits me).
Lieliska doma!	Good idea!
Domāju, ka tas ir tā.	I think so.
Jums taisnība.	You're right.
Pilnīgi pareizi.	Quite right (so).
Nē, paldies.	No, thank you.
Nē, diemžēl nevaru.	No I can't, I'm sorry.
Es nepiekrītu jums.	I don't agree with you.
Nekā tamlīdzīga!	Nothing of the kind!
Gluži otrādi!	On the contrary!
Es atsakos.	I refuse.
Nepiekrītu.	I don't agree.
Jūs kļūdāties.	You're mistaken.
Atvainojiet, pašlaik esmu aizņemts.	Excuse me, I'm busy at the moment.

Nožēla, līdzjūtība

Regrets, Sympathy

Žēl.	I'm sorry.
Man ļoti žēl.	I'm very sorry [about that]. Too bad.
Jūtos apbēdināts to dzirdēt.	I'm very sad to hear that.
Jūtu jums līdzi.	I sympathize with you.

Atvainošanās

Atvainojiet, lūdzu.
Piedodiet, lūdzu.
Atvainojiet, ka pārtrau-
cu (traucēju, atrauju
no darba).

Atvainojiet, ka nokavēju
(liku jums gaidīt, sagā-
dāju jums tik daudz
rūpju, iejaucos sarunā).

Negribēju jūs aizvainot.
Neesmu vainīgs.
Tā ir mana vaina.
Nedusmojieties (neapvai-
nojieties), lūdzu.
Baidos, ka nevarēšu at-
nākt.

Apsveikumi,
laba vēlējumi

Apsveicu svētkos (jubile-
jā, dzimšanas dienā)!
Laimīgu Jauno gadu!
Priecīgus Ziemassvētkus!
Vēlu panākumus (veik-
smi, laimi, veselību).

Ceru, ka jūs patīkami pa-
vadīsit laiku (svētkus,
atvaļinājumu).

Apologies

Excuse me, please.
Forgive me, please.
Please excuse (pardon)
the interruption (dis-
turbance, pardon me
for taking you away
from your work).
Sorry I'm late (I kept you
waiting, I caused you
so much trouble, for
breaking into your con-
versation).
I didn't mean to offend you.
I'm not to blame.
That was my fault.
Please don't be angry (of-
fended).
I'm afraid I won't be able
to come.

Congratulations,
Wellwishings

Happy holiday (anniversa-
ry, birthday)!
Happy New Year!
Merry Christmas!
I wish you every success
(good luck, happiness,
good health).
I hope you will have
a good (time, holiday,
vacation).

Vēlu visu to labāko! — All the best!
Lai visas jūsu vēlēšanās piepildās! — May all your dreams come true!

Tosti — Toasts

Atļaujiet uzsaukt tostu par... — May I propose a toast to ...
Uz mūsu (jūsu) panākumiem! — Our (your) good luck!
Par jums! — To you!
Par ... kungu (kundzi, jaunkundzi)! — To Mr (Mrs, Miss) ...!
Uz jūsu veselību! — To your health!
Uz sadarbību! — To co-operation!
Uz laimi! — To happiness!

Jautājamie vārdi un jautājumi — Interrogative Words and Expressions

Kas? *(par cilvēkiem)* — Who?
Kas? *(par priekšmetiem, dzīvniekiem utt.)* — What?
Kur? — Where?
Kad? — When?
Kāpēc? — Why?
Kādēļ? — For what reason?
Kāds? Kāda? — What kind of? What?
Kurš? Kura? — Which?
No kurienes? — Where from?
Cik? — How much?
Kā? — How?
Kā to sauc [angliski]? — What is it called [in English]?

Kā man nokļūt līdz tu- | How do I get there?
rienei?

Kādā veidā? | In what way?

Kas ir šis vīrietis (šī sie- | Who's that man (that la-
viete)? | dy)?

Kurš tieši? | Who, precisely?

Kas viņa (viņš) ir? | Who's she (he)?

Kas jūs esat? | Who are you?

Kas viņi (viņas) ir? | Who are they?

Kas tur ir? | Who's there?

Kas jums kaiš? | What's the matter with
you?

Kas man būtu jādara? | What should I do?

Ko jūs teicāt? | What did you say?

Ko jūs darāt? | What are you doing?

Ko jūs gribat? | What do you want?

Kas jums vajadzīgs? | What do you need?

Kas tas ir? | What's that?

Kas noticis? | What has happened?
What's the matter?

Ko jūs par to domājat? | What do you think of
that?

Ko tas nozīmē? | What does it mean?

Ko nozīmē šis vārds? | What does this word
mean?

Kur mēs atrodamies? | Where are we?

Kur tas ir (atrodas)? | Where's that?

Kur jūs dzīvojat? | Where do you live?

Kur ir tualete? | Where's the toilet (rest-
room)?

Kur es varētu atrast ...? | Where can I find ...?

Kad jūs aizbrauksit? | When will you leave?

Kurp jūs ejat (braucat)? | Where are you going?

No kurienes jūs atbrau- | Where did you come from?
cāt?

Cikos? | At what times?

Cik pulkstenis? | What time is it?

Cik tas maksā?	How much does it cost? How much is it?
Cik reizes?	How many times?
Cik tālu no šejienes?	How far from here?
Kādā nolūkā?	For what purpose?
Cik ilgi?	How long?
Vai tā ir taisnība?	Is that right?
Vai tā ir pareizi?	Is this correct? Is this the right way?
Vai tas tiešām ir tā?	Is that really so?
Vai jūs saprotat mani?	Do you understand me?
Vai es jūs pareizi saprotu?	Do I understand you right?
Vai drīkstu jūs lūgt ...?	May I ask you ...?
Vai jūs varētu man parādīt (palīdzēt) ...?	Could you show (help) me ...?
Vai jūs man nepateiktu ...?	Could you tell me ...?
Vai es drīkstu runāt ar ...?	May I speak with ...?
Vai jūs nevarētu ...?	Could you ...?
Vai jūs nevēlētos ...?	Would you like to ...?
Vai jums ir ...?	Do you have ...?
Vai drīkstu jums palīdzēt?	May I help you? Would you like some help?

IEPAZĪŠANĀS

GETTING ACQUAINTED

Vārds, uzvārds

First Name, Last Name (Surname)

Kā jūs sauc?
What's your name?

Mans vārds ir (Jānis Bērziņš).
I'm (Jānis Bērziņš).

Mani sauc ...
My name is ...

Kāds ir jūsu vārds (uzvārds)?
What's your first name (last name)?

Mans vārds (uzvārds) ir ...
My name (last name, surname) is ...

Varat mani saukt vārdā.
You may call me by my first name.

Šeit visi sauc viens otru vārdā.
Everybody's on the first name basis here.

Kāds ir jūsu meitas vārds?
What's your maiden name?

Kā sauc šo vīrieti (sievieti, meiteni, zēnu, jauno cilvēku, jauno sievieti)?
What's the name of this gentleman (lady, girl, boy, young man, young lady)?

Patīkami ar jums iepazīties.
Pleased to meet you.

Atļaujiet stādīt priekšā ... kungu (... kundzi, ... jaunkundzi, manu vīru, manu sievu).
I'd like you to meet Mr ... (Mrs ..., Miss ..., my husband, my wife).

Iepazīstieties, lūdzu!
Please introduce yourselves.

Es (mēs) esmu (esam) no Latvijas, Rīgas.

I'm (we're) from Latvia, Riga.

Mēs esam trīs (pieci, divdesmit) cilvēki.

There are three (five, twenty) of us.

Es (mēs) jūsu valstī (pilsētā) esam pirmo (otro) reizi.

I'm (we're) in your country (city) for the first (second) time.

Esmu atbraucis (esam atbraukuši) ar (tirdzniecības, sporta, jaunatnes) delegāciju.

I'm (we're) here with a (trade, sports, youth) delegation.

Atbraucu kā korespondents (stažieris, tūrists, pēc izsaukuma).

I have come as a correspondent (on an exchange programme, as a tourist, by invitation).

Adrese, dzīvesvieta

Address, Place of Residence

Kur jūs dzīvojat?

Where do you live?

Pašreiz es dzīvoju pie draugiem (viesnīcā).

At the moment I'm staying with my friends (at a hotel).

Kāda ir jūsu pagaidu (pastāvīgā, mājas) adrese?

What's your temporary (permanent, home) address?

Te ir mana adrese.

Here's my address.

Mana mājas adrese ir: Nometņu ielā 10, dzīvoklis 12, LV 1048, Rīga, Latvijas Republika.

My home address is : 10 Nometņu Street, flat (apartment) number 12, LV 1048, Riga, Republic of Latvia.*

---

*) Šādā kārtībā adresi pieraksta Lielbritānijā, ASV, Austrālijā, Kanādā u.c.

Mana pagaidu adrese ir: Londona SWI, Džerminstrīta 90, telefons 485 5109.

My temporary address is: 90 Jermyn Street, London SWI, telephone number: four eight five five one oh nine.

Vecums, dzimums

Age, Sex

Kad jūs esat dzimis?
Esmu dzimis 1950. gadā.
Mana dzimšanas diena ir 19. jūlijā.
Cik vecs viņš ir?
Mēs esam vienos gados.
Jūs esat vecāks (jaunāks) par mani.
Jūs izskatāties jaunāka par saviem gadiem.
Viņa ir pilngadīga.
... kundze ir gados vecāka sieviete.
... kungs ir vidējos gados.
Viņam jau ir pāri sešdesmit.

When were you born?
I was born in nineteen fifty.
My birthday's on the nineteenth of July.
How old is he?
We're the same age.
You're older (younger) than I.
You look younger than your age.
She's of age.
Missis ... is an elderly woman.
Mister ... is middle-aged.
He's already over sixty.

Tautība, pavalstniecība

Nationality, Citizenship

Kādas tautības jūs esat?
Es esmu latvietis.
Kāda ir jūsu pavalstniecība?
Esmu Austrālijas (Latvijas) pilsonis.

What's your nationality?
I'm a Latvian.
What's your citizenship?
I'm an Australian (a Latvian) citizen.

Mēs esam zinātnes (lauk-saimniecības) darbinie-ku delegācija no Latvijas.

We're a delegation of scientists (agriculturists) from Latvia.

Mēs esam latviešu rakst-nieki (Latvijas pašdar-bības mākslas pārstāv-ji, Latvijas žurnālisti, tūristi, studenti).

We're Latvian writers (representatives of Lat-vian amateur arts, Lat-vian journalists, tourists, students).

Ģimene

Family

Vai esat precējies (pre-cējusies)?

Are you married?

Esmu precējies (neprecē-jies, šķīries, atraitnis, atraitne).

I'm married (single, divor-ced, a widower, a widow).

Vai jums ir bērni (brāļi, māsas)?

Do you have any children (brothers, sisters)?

Man nav bērnu (brāļu, māsu).

I've no children (brothers, sisters).

Man ir viens bērns (divi bērni, trīs brāļi).

I've one child (two chil-dren, three brothers).

Cik gadu jūsu meitai (dē-lam)?

How old is your daughter (son)?

Viņam (viņai) ir astoņi (vienpadsmit) gadi.

He (she) is eight (eleven).

apprecēties	marry
atraitne	widow
atraitnis	widower
bērns	child
bērni	children
brālis	brother
brālēns	cousin

otrās pakāpes brālēns	second cousin
brāļadēls	nephew
brāļameita	niece
brāļasieva, svaine	sister-in-law
dāma	lady
dēls	son
dvīnis	twin
krustdēls	godson
krustmāte	godmother
krustmeita	goddaughter
krusttēvs	godfather
līgava	fiancée, bride
līgavainis	fiancé, bridegroom
māmiņa	mummy, mum
māsa	sister
māsasdēls	nephew
māsasmeita	niece
māsasvīrs	brother-in-law
māsīca	cousin
māte	mother
mazdēls	grandson
mazmeita	granddaughter
meita	daughter
neprecējies	single
precējies	married
radi	relatives, kinsfolk, kin
tuvākie radi	close relatives, the next of kin
radniecīgas attiecības	relationships
sieva	wife
sievasbrālis	brother-in-law
sievasmāsa	sister-in-law
sievasmāte (arī — vīramāte)	mother-in-law
sievastēvs (arī — vīratēvs)	father-in-law
tante, tēvamāsa, mātesmāsa	aunt
tētis	daddy, dad
tēvocis, tēvabrālis, mātes brālis	uncle

tēvs	**father**
vecāki	**parents**
vecāmāte (vecmāmiņa)	**grandmother (granny, grandma)**
vectēvs (vectētiņš)	**grandfather (grandad, grandpapa, grandpa)**
vecpuisis, neprecējies vīrietis	**bachelor**
vedekla	**daughter-in-law**
vīrs	**husband**
znots	**son-in-law**

Valoda

Language

Mana dzimtā valoda ir latviešu valoda.

My native language is Latvian.

Vai jūs runājat (saprotat) angliski (latviski, krieviski, vāciski, franciski, spāniski)?

Do you speak (understand) English (Latvian, Russian, German, French, Spanish)?

Vai kāds no jums runā latviski?

Does any of you speak Latvian?

Es runāju (nerunāju) angliski.

I speak (don't speak) English.

Es runāju brīvi angliski.

I speak English fluently.

Es vāji runāju angliski.

My English is poor.

Es saprotu angliski, taču neprotu runāt.

I understand English, but can't speak it.

Lasīt (saprast) es varu, bet sarunāties man ir grūti.

I can read (understand), but it is difficult for me to speak.

Kādu svešvalodu jūs protat?

What foreign language do you know?

Es mazliet runāju vāciski.

I speak a little German.

Vai jūs saprotat mani?

Do you understand me?

Es jūs saprotu (nesaprotu).

I understand (don't understand) you.

Piedodiet, es labi nesap-
ratu, ko jūs teicāt.

Sorry, I didn't quite un-
derstand what you said.

Lūdzu, runājiet lēnāk!

Speak more slowly, please.

Atkārtojiet vēlreiz, lūdzu!

Please repeat that.

Kā to pārtulkot?

How can that be transla-
ted?

Lūdzu, pārtulkojiet!

Translate, please.

To nevar pārtulkot.

That can't be translated.

Kā to sauc angliski (lat-
viski)?

What's it called in English
(in Latvian)?

Ko šis vārds nozīmē?

What does this word
mean?

Kā šo vārdu izrunā (rak-
sta)?

How's this word pronoun-
ced (spelled)?

Kā raksta jūsu uzvārdu?

How's your last name
spelled?

Uzrakstiet to, lūdzu!

Write it down, please.

Kā to pateikt angliski?

How do you say that in
English?

Lūdzu, paskaidrojiet, kas
te rakstīts.

Please explain to me
what's written here.

Mums vajadzīgs (nav va-
jadzīgs) tulks.

We need (don't need) an
interpreter.

Es mācos zviedru (spāņu)
valodu.

I'm studying Swedesh
(Spanish).

Nodarbošanās

Profession

Kāda ir jūsu profesija?

What's your profession
(speciality)?

Esmu ķīmiķis (žurnā-
lists, vēsturnieks, ma-
temātiķis).

I'm a chemist (journalist,
historian, mathemati-
cian).

Kāds ir jūsu amats?

What sort of work do you
do?

Esmu atslēdznieks (sko-
  lotājs, aktieris, inženie-
  ris tehnologs).

I'm a locksmith (teacher,
  actor, an industrial en-
  gineer).

Man ir ļoti labs darbs.

I've a very good job.

Kur jūs strādājat?

Where do you work?

Es strādāju zinātniskās
  pētniecības (projektēša-
  nas) institūtā.

I work at a research (de-
  sign) institute.

Es strādāju rūpnīcā (mi-
  nistrijā, universitātē,
  saimniecībā).

I work at a factory (in
  a ministry of ..., at
  a university, on a farm).

Mēs esam kolēģi.

We're colleagues.

Man pieder firma (vei-
  kals).

I own a company (a shop).

Esmu students.

I'm a student.

Kur jūs mācāties?

Where do you study?

Es mācos institūtā (teh-
  nikumā, komercskolā,
  universitātē, koledžā).

I study at an institute
  (at a technical college,
  commercial school, at
  a university, in a col-
  lege).

Kādā institūtā (tehniku-
  mā) jūs mācāties?

What sort of institute
  (technical college) do
  you study at?

Es studēju mūziku (filo-
  loģiju, jurisprudenci, fi-
  ziku).

I'm studying music (lan-
  guages and literature,
  law, physics).

Es mācos pedagoģiskajā
  (celtniecības, civilās
  aviācijas) institūtā
  (tehnikumā).

I study at a pedagogical
  (civil engineering, civil
  aviation) institute (tech-
  nical college).

Kādā fakultātē (kursā)
  jūs mācāties?

What are you studying
  (What year are you in)?

Ar ko jūs nodarbojaties?

What's your job?

Vai jūs strādājat (mācā-
  ties)?

Do you work (study)?

Es (ne)strādāju.

I (don't) work.

Esmu strādnieks.	I'm a worker.
Esmu mājsaimniece.	I'm a housewife.
Esmu pensijā.	I'm retired.
Viņš ir labs speciālists.	He's an expert.
Cik jūs pelnāt?	How much do you earn?

advokāts	attorney; lawyer
agronoms	agronomist
aktieris	actor
arhitekts	architect
ārsts	doctor; physician
atslēdznieks	metal-worker
baņķieris	banker
bibliotekārs	librarian
biologs	biologist
biroja darbinieks (kalpotājs)	office (white-collar) worker, servant
biznesmenis	businessman
celtnieks	builder; construction worker
dārzkopis	gardener; horticulturist
direktors	manager; director
drēbnieks	tailor
dzelzceļnieks	railwayman
ekonomists	economist
elektriķis	electrician
fermeris, lauksaimnieks	farmer
filologs	philologist
filozofs	philosopher
fiziķis	physicist
fotogrāfs	photographer
frēzētājs	milling-machine operator
frizieris	hairdresser; *(vīriešu)* barber
galdnieks	joiner; cabinet-maker
garīdznieks	clergyman; priest
gleznotājs	painter, artist
grāmatvedis	book-keeper, accountant

ģeogrāfs	geographer
ģeologs	geologist
inženieris	engineer
jurists	lawyer
jūrnieks	seaman, sailor
kinorežisors	film director
komponists	composer
konstruktors	constructor, designer
kurpnieks	shoemaker
ķīmiķis	chemist
lidotājs	pilot, aviator, flier, flyer
mākslinieks	artist
mehāniķis	mechanic
metalurgs	metallurgist
metinātājs	welder
mežsargs	forester, gamekeeper
ministrs	minister
mūrnieks	bricklayer, masson
mūziķis	musician
namdaris	carpenter
oficiants; oficiante	waiter; waitress
oglracis	coalminer
pārdevējs	salesman; shop-assistant
pasniedzējs	lecturer, teacher, instructor
pavārs	cook
pensionārs	pensioner
praktikants	trainee
profesors	professor
psihologs	psychologist
rakstnieks	writer; author
redaktors	editor
režisors	director
skolniece	schoolgirl, student
skolnieks	schoolboy, student
skolotājs, skolotāja	school teacher
sociologs	sociologist
strādnieks	worker

students, studente	**student**
šoferis	**driver**
tehniķis	**technician**
tehnologs	**technologist**
tēlnieks	**sculptor**
tiesnesis	**judge**
traktorists	**tractor driver**
treneris	**coach, trainer**
tulkotājs *(rakstisku tekstu)*	**translator**
tulks	**interpreter**
valsts ierēdnis	**civil servant**
veikala īpašnieks	**shopkeeper**
veterinārs	**veterinary surgeon, veterinarian**
virpotājs	**turner, lathe operator**
zinātnieks	**scientist, scholar**
zobārsts	**dentist**
zvejnieks	**fisherman**
žurnālists	**journalist**

Sabiedriskā darbība

Public Life

Vai jūs piederat pie kādas politiskas organizācijas?

Do you belong to any political organization?

Esmu liberālās partijas biedrs.

I'm a member of the Liberal Party.

Esmu Latvijas Nacionālās Neatkarības Kustības biedrs.

I'm a member of the Latvian National Independence Movement.

Esmu bezpartejiskais.

I'm not a member of any party.

Vai jūs esat republikāņu (demokrātu, konservatīvo, leiboristu) partijas biedrs?

Are you a member of the Republican (Democratic, Conservative, Labour) party?

Kādai sabiedriskai organizācijai jūs piederat?

Esmu latviešu-angļu draudzības biedrības (studentu zinātniskās biedrības, sporta kluba) biedrs.

Kādas arodbiedrības biedrs jūs esat?

Esmu izglītības darbinieku (medicīnas darbinieku) arodbiedrības biedrs.

Vai jūs esat Britu Arodbiedrību Kongresa loceklis?

Vai esat luterānis (katolis, protestants, pareizticīgais)?

What public organization do you belong to?

I'm a member of the Latvian-British Friendship society (a student's scientific society, a sporting club).

What trade union do you belong to?

I'm a member of the teachers' (medical workers') union.

Are you a member of the British Trade Union Congress?

Are you Lutheran (a Roman Catholic, a Protestant, Orthodox)?

Māja, dzīvoklis

House, Flat (Apartment)

Vai jums ir dzīvoklis vai māja?

Vai jūs dzīvojāt pilsētas centrā?

Es dzīvoju vecpilsētā (jaunā dzīvojamā rajonā, jaunā mājā, vecā mājā).

Es dzīvoju privātmājā.

Man pieder privātdzīvoklis, zemnieku saimniecība.

Man ir divistabu (trīsistabu, četristabu) dzīvoklis.

Have you an apartment or a house?

Do you live downtown (in the centre of the city)?

I live in the old city (in a new district, in a new house, in an old house).

I live in my own house.

I own a flat (apartment), a farm.

I've a two-room (three-room, four-room) flat (apartment).

Kurā stāvā jūs dzīvojat?
Es dzīvoju pirmajā (otrajā, trešajā, ceturtajā) stāvā.
Es gribētu noīrēt istabu uz mēnesi (sešiem mēnešiem, gadu).
Cik liela ir īres maksa?
Cik jūs maksājat par apkuri (gāzi, elektrību, telefonu)?

What floor do you live on?
I live on the ground (first, second, third) floor.

I'd like to rent a room for a month (six months, a year).
What's the rent?
How much do you pay for heating (gas, electricity, telephone)?

aizkari	curtains
atslēga	key
bēniņi	attic
bērnistaba	nursery
dīvāns	sofa
durvis	door
duša	shower
ēdamistaba	dining-room
gaitenis	passage, hallway
galds	table
garāža	garage
grāmatskapis	bookcase
grīda	floor
griesti	ceiling
gulta	bed
guļamistaba	bedroom
ieeja	entrance
istaba	room
izlietne	sink
jumts	roof
kabinets, darbistaba	study
kāpnes	stairs
krēsls	chair
atzveltnes —	armchair

lampa	lamp
ledusskapis	refrigerator
logs	window
pagalms	yard
pagrabs	basement; cellar
paklājs	carpet; rug
palodze	window-sill
plaukts	shelf
plīts	stove, cooker
rakstāmgalds	writing-table
sega	blanket
sekcija	wall system, wall unit
siena	wall
skapis	wardrobe
spilvens	pillow
spogulis	mirror; looking-glass
vanna	bath
vannasistaba	bathroom
virtuve	kitchen
zvans	bell

33

UZRAKSTI UN IZKĀRTNES

SIGNS

Slēgts	CLOSED
Ieeja	ENTRANCE
Izeja	EXIT
Vilkt	PULL
Grūst	PUSH
Ieeja aizliegta	NO ENTRY
Dienesta ieeja	SERVICE ENTRANCE
Caurbraukt aizliegts	ROAD CLOSED
Apvedceļš	DETOUR
Uzmanību	CAUTION
Sargies auto	CAUTION: AUTOMO-BILE TRAFFIC
Briesmas	DANGER
Autonovietne	PARKING
Apstāties aizliegts (Stāvēt aizliegts)	NO STOPPING (NO PARKING)
Autobusa (tramvaja) pietura	BUS (TRAM) STOP
Stāt!	STOP! DON'T WALK
Ejiet!	WALK!
Gājēju tunelis	PEDESTRIAN SUB-WAY
Metro	UNDERGROUND, SUB-WAY
Viesnīca	HOTEL
Izziņu birojs	INFORMATION
Tualete	RESTROOMS, TOI-LETS
Sievietēm	WOMEN, LADIES

Vīriešiem	**MEN, GENTLEMEN**
Vieta smēķēšanai	**SMOKING SECTION**
Smēķēt aizliegts	**NO SMOKING**
Kinoteātris	**CINEMA; MOVIE THEATRE**
Frizētava	**HAIRDRESSER'S**
sieviešu —	**BEAUTY SALON**
vīriešu —	**BARBER'S SHOP**
Aptieka	**CHEMIST'S; DRUGSTORE**
Restorāns	**RESTAURANT**
Universālveikals	**DEPARTMENT STORE**
Atvērts: no ... līdz ...	**HOURS: ... TO ...**
Aizņemts. Rezervēts.	**TAKEN. RESERVED**
Privātīpašums	**PRIVATE PROPERTY**
Privāta pludmale	**PRIVATE BEACH**
Peldēties aizliegts	**NO SWIMMING**
Pa zāli staigāt aizliegts	**KEEP OFF THE GRASS**
Uzmanību! Nikns suns.	**BEWARE OF THE DOG**
Svaigi krāsots	**WET PAINT**
Ieeja par maksu.	**ADMISSION BY TICKET ONLY**
Ieeja brīva.	**ADMISSION FREE**
Fotografēt aizliegts	**NO PHOTOGRAPHING**
Piesprādzējiet drošības jostas!	**FASTEN SAFETY BELTS!**
Rezerves izeja	**EMERGENCY EXIT**

CEĻOJUMS

Kur atrodas uzziņu birojs
(kase, vilcienu saraksts,
uzgaidāmā telpa)?

Kur atrodas bezmuitas
preču veikals (bufete,
avīžu kiosks, atrasto
mantu birojs, frizēta-
va)?
Cik maksā biļete?

Cik diennaktis šī biļete
ir derīga?
Kur man jāpārsēžas citā
vilcienā?
Kad sākas iekāpšana?

Lūdzu, ierādiet man vietu!
Kur varētu nodot (sa-
ņemt) bagāžu?
Nesēj, te ir mana bagāža!
Kur ir bagāžas glabātava?

Es gribētu nodot glabā-
šanā šo te.
Kur saņem bagāžu?

Lūdzu, izsniedziet manu
bagāžu.

TRAVEL

Where's the information
office (the ticket office,
the train schedule, the
waiting room)?

Where's the duty-free shop
(the snack bar, the news-
paper stand, the Lost
and Found, the hair-
dresser's)?
How much does the ticket
cost? How much is the
ticket?

How long is the ticket va-
lid?
Where do I change trains?

When does boarding be-
gin?
Show me my seat, please.
Where can I check (pick
up) my baggage?
Porter, here are my bags.
Where's the baggage
(cloak) room?
I'd like to check this.

Where do I claim my bags?
Where's the baggage
claim?
I'd like to claim my bags,
please.

Te ir mana bagāžas kvīts.	Here's my baggage ticket.
Kur ir izeja uz pilsētu?	Where's the exit to the city?

atiešana	departure
atiešanas laiks	departure time
bagāža	luggage, baggage
bagāžas glabātava	baggage room
— izsniegšana	— claim
— nodaļijums	— section
— pieņemšana	— check-in
biļete	ticket
biļete turp un atpakaļ	return ticket; round-trip ticket
bērnu biļete	children's ticket
izeja uz pilsētu	exit to the city
medpunkts	medical station
nesējs	porter
pārsēsties, pārsēšanās	transfer
pasažieris	passenger
pienākšana	arrival
pienākšanas laiks	arrival time
ugunsdzēšamais aparāts	fire extinguisher
uzgaidāmā telpa	waiting room
uzziņu birojs	information office
vieta (bagāžai)	place for baggage
vieta (pasažierim)	place; seat
vilcienu saraksts	train schedule

Lidmašīna   Plane

Kur var nopirkt lidmašīnas biļetes?	Where can I buy airplane tickets?

Kā varētu piezvanīt uz «Latavio»?

How do I call «Latavio»?

Vai ir biļetes uz rītdienu (uz ceturtdienu)?

Do you have any tickets for tomorrow (for Thursday)?

Es gribētu kompostrēt (apstiprināt) savu atpa-kaļbiļeti.

I'd like to confirm my (return) reservation.

Kad lido lidmašīnas uz Londonu (Amsterda-mu, Ņujorku)?

When do planes leave for London (Amsterdam, New York)?

Kad ir nākošais reiss (li-dojums) uz Toronto?

When's the next flight to Toronto?

Cikos izlido reiss Nr. 517?

When does flight number 517 leave?

Vai šis ir tiešais reiss?

Is this a direct flight?

Kāds ir lidojuma ilgums?

How long is the flight?

Vai lidmašīna pa ceļam kaut kur nolaižas?

Is there a stop-over?

Kur lidmašīna nolaižas?

Where does the plane make landing?

Lūdzu, biļeti līdz Stokhol-mai, reiss Nr. 2014.

I'd like a ticket (on a pla-ne) to Stockholm please, flight number 2014.

Cikos man jāierodas lid-ostā?

At what time should I be at the airport?

Vai lidosta ir tālu no pilsētas?

Is the airport far from the city?

Kurš autobuss iet līdz lidostai?

Which bus goes to the air-port?

Vai iekāpšanu jau pietei-ca?

Have they already an-nounced the boarding?

Kad (kur) notiek reģistrā-cija?

When (where) is the check-in?

Te ir mana biļete (pase, bagāža, rokas bagāža).

Here's my ticket (pass-port, baggage, hand luggage).

Cik smagu bagāžu var ņemt līdzi?

How many kilograms (pounds) of baggage (luggage) can I take with me?

Bez maksas jūs varat ņemt līdzi 20 kilogramus (44 mārciņas) bagāžas.

You may take with you 20 kilograms (44 pounds) of baggage free of charge.

Vai es drīkstu šo somu ņemt līdzi salonā?

May I take this bag in the cabin?

Cik man jāmaksā par virsnormas svaru?

How much do I have to pay for overweight?

Lūdzu, palīdziet man atgāzt atpakaļ krēsla atzveltni (piesprādzēt drošības jostu)!

Help me put my seat back (fasten my safety belts), please.

Kur atrodas pelnutrauks?

Where's the ashtray?

Kādā augstumā mēs lidojam?

At what altitude are we flying?

Kāds ir mūsu ātrums?

What's our speed?

Es nejūtos labi.

I'm not well.

Man ir nelabi.

I feel sick.

Man sāp ausis.

My ears are aching.

Lūdzu, atnesiet zāles pret jūras slimību (higiēnisko maisiņu).

Please bring me an airsickness pill (an airsickness bag).

Cikos mums jānolaižas?

When are we landing?

Vai mūsu lidmašīna kavējas?

Are we late?

apkalpe	crew
apkalpes komandieris	crew captain
aviolīnija	airline
drošības jostas	seat (safety) belts
higiēniskais maisiņš	air-sickness bag
iekāpšana lidmašīnā	boarding

iekāpšanas talons	boarding pass
iekrist gaisa bedrē	fall into an air pocket
ieņemt vietu lidmašīnā	take a seat in a plane
iluminators	window
kabīne	cabin
lidmašīna	airplane
lidojumam nelabvēlīgs laiks	weather unfavorable for flying
lidojums	flight
lidojums bez nosēšanās	non-stop flight
lidosta	airport
lidotājs	pilot
maršruts	route
nolaišanās	landing
pacelšanās	takeoff
paziņot par iekāpšanu	announce a boarding
piespiedu nosēšanās	forced landing
piestiprināt drošības jostas	fasten seat belts
redzamība	visibility
reisa numurs	flight number
reiss	flight
samazināt augstumu	to reduce altitude
skrejceļš	runway
speciālreiss	charter flight
stjuarte	flight attendant (hostess)
traps	boarding ramp
tūristu klase	tourist class
uzņemt augstumu	gain altitude
virsnormas svars	overweight

Dzelzceļš

Rail Travel

No kuras stacijas atiet vilcieni uz Glāzgovu?

From which station do the trains leave for Glasgow?

Kur ir stacija?

Where's the railway station (terminal)?

Kā aizbraukt līdz stacijai?

How do I get to the station?

Vai ir (tiešās satiksmes) vilciens līdz Liverpūlei (Berlīnei, Parīzei)?

Is there a (through) train to Liverpool (Berlin, Paris)?

Cik maksā biļete starptautiskajā (pirmās klases, otrās klases) vagonā?

How much does a ticket in the international (first class, second class) car cost?

Lūdzu, dodiet man biļeti guļamvagonā līdz Līdsai (turp un atpakaļ).

Please give me a (return/round-trip) ticket in the sleeping car to Leeds.

Cikos atiet vilciens uz Ņujorku?

When does the train leave for New York?

No kura perona vilciens atiet?

From which platform does the train leave?

Kā nokļūt līdz 5. platformai?

How do I get to platform five?

Kad atiet (pienāk) vilciens?

When does the train leave (arrive)?

Cikos vilciens pienāk Edinburgā?

At what time does the train arrive in Edinburgh?

Cik ilgi vilciens iet līdz Bristolei?

How long does it take the train to get to Bristol?

Vai šis ir 2. vilciens?

Is this train number two?

Vai šis ir 10. vagons?

Is this carriage number ten?

Cik vēl ir līdz vilciena atiešanai?

How much time before the train leaves?

Te ir mana biļete.

Here's my ticket.

Lūdzu, parādiet man vietu.

Please show me my seat.

Lūdzu, pamodiniet mani stundu pirms vilciena pienākšanas Viktorijas stacijā!

Please wake me an hour before the train arrives at Victoria Station.

Lūdzu, uzmodiniet mani pussešos! — Please wake me at half past five.

Kur atrodas restorānvagons (bufete, tualete, smēķētāju vagons)? — Where's the dining-car (snack bar, toilet, smoking car)?

Vai drīkstu šeit uzsmēķēt? — May I smoke here?

Atnesiet, lūdzu, glāzi ūdens (tasi tējas, vēl vienu spilvenu/segu)! — Please bring me a glass of water (a cup of tea, another pillow/blanket).

Kas ir nākošā stacija? — What's the next station?

Cik minūtes vilciens stāvēs? — For how many minutes will the train stop?

Nesēj, lūdzu, aiznesiet šo koferi uz peronu! — Porter, take this bag (suitcase) to the platform, please.

Kas šī par staciju? — What station is this?

bagāžas plaukts	baggage rack
dzelzceļa stacija	railway station
dzelzceļš	railway
ekspresis	express
gultas veļa	bedding
guļamvieta	berth
— apakšējā	lower —
— augšējā	upper —
kupeja	compartment
nokavēt (vilcienu)	be late (for a train)
perons	platform
rokas bremzes	emergency brake
sliedes	track
stacija (galastacija)	station (terminal)
stacijas dežurants	station superintendent on duty
stacijas priekšnieks	station master
tranzītbiļete	stop-over ticket
tunelis	tunnel

vagons
  mīkstais —
  restorānvagons
  starptautiskais —
vietas karte
vilciens (piepilsētas vilciens)

coach, car
  sleeping-car
  dining-car
  international coach
reserved seat
train (suburban train)

Kuģis

Ship

Kur atrodas jūras pasažieru osta?

Where's the river (ocean, sea) port?

Kā varētu turp nokļūt?

How do I get there?

Cik maksā pirmās (otrās, trešās) klases biļete līdz Heridžai?

How much does a first (second, third) class ticket to Harwich cost?

Kad kuģis atiet (pienāk) Rīgā (Glāzgovā, Ņujorkā)?

When does the ship sail for (get to) Riga (Glasgow, New York)?

Kurās ostās kuģis piestāj?

What are the ship's ports of call?

Kāds ir reisa ilgums?

How long is the voyage?

Vai kuģis iegriežas Plimutā?

Does the ship call at Plymouth?

Cik ilgi kuģis stāvēs ostā?

How long does the ship stay in port?

Kur atrodas (mūzikas) salons (lifts, kinozāle, tualete, restorāns, baseins)?

Where's the (musical) salon (lift, cinema, washroom, restaurant, swimming-pool)?

Kur ir mana (mūsu) kajīte?

Where's my (our) cabin?

Uz kura klāja ir jūsu kajīte?

On which deck is your cabin?

Kā nokļūt uz klāja?

How do I get to the deck?

Es (labi) slikti paciešu šūpošanos.

I'm (not) prone to seasickness.

Kā sauc šo ostu?
Kad mēs piestāsim Stok-
    holmā?
Es gribētu aprunāties ar
    kapteini.
Man jānosūta radiogram-
    ma.

What's that port called?
When do we get to Stock-
    holm?
I'd like to speak to the
    captain.
I must send a radiogram.

atiet no krasta *(par kuģi)*	to sail, to leave
atpūtas krēsls	chaise longue
bāka	lighthouse
bezvējš	calm
borts	side
enkurs	anchor
glābšanas josta	lifebelt, preserver
— laiva	lifeboat
— riņķis	lifebuoy
iluminators (kuģa logs)	porthole
iziet atklātā jūrā	go out to sea
izkāpt krastā	land, disembark
izmest enkuru	drop anchor
jūra	sea
jūras brauciens, ceļojums	cruise
jūrasslimība	seasickness
kajīte	cabin
kapteinis	captain
kapteiņa palīgs	first mate
kapteiņa tiltiņš	captain's bridge
karogs	flag
klājs	deck
augšējais —	upper —
apakšējais —	lower —
pastaigas —	promenade —
komanda	crew
krasts	shore
kuģis	ship; vessel

laiva	**boat**
locis	**pilot**
margas	**handrails**
masts	**mast**
matrozis	**sailor**
okeāns	**ocean**
osta	**port**
pakaļgals	**stern**
pasažieru tvaikonis	**liner**
piestātne	**pier**
pietauvošanās vieta	**moorage**
prāmis	**ferry-boat; ferry**
priekšgals	**bow**
radiogramma	**radiogram**
sala	**island**
šūpošanās	**rocking**
traps	**gang-way**
vējš	**wind**
vētra	**storm**
viļņi	**waves**

Automašīna

Vai varētu lūgt jūsu mašīnas dokumentus?

Te ir mana reģistrācijas karte (mana starptautiskā autovadītāju apliecība, mašīnas dokumenti).

Mana mašīna reģistrēta Latvijā.

Lūdzu piebrauciet mašīnu apskatei!

Lūdzu, atveriet motora pārsegu (bagāžnieku)!

Automobile

May I see your car papers?

Here's my registration (my international driver's licence, the documents for the car).

My car is registered in Latvia.

Please come to the inspection.

Open the bonnet (the boot), please.

Vai jūsu automašīna ir apdrošināta?

Do you have insurance for your car?

Lūdzu, parādiet uz kartes ceļu uz Lankāsteru.

Please show me the road to Lancaster on the map.

Cik kilometru (jūdžu) ir līdz Bernei?

How many kilometres (miles) to Berne?

Kā nokļūt līdz šosejai A 41?

How do I get to the A 41 highway?

Kurp ved šis ceļš?

Where does this road go to?

Kā var aizbraukt uz Braitonu?

How do I get to Brighton?

Vai šis ir pareizais ceļš uz Stounhendžu?

Is this the right way to Stonehenge?

Vai šis ceļš ir labs?

Is this a good road?

Vai pa ceļam ir stāvvietas (tehniskās apkopes stacijas, degvielas uzpildes stacijas, moteļi)?

Are there any rest areas (service stations, filling stations, motels) along this road?

Kāda ir šī ceļa (tilta) lietošanas maksa?

What's the toll on this road (bridge)?

Jūs braucat pa nepareizu ceļu.

You've taken the wrong road.

Griezieties atpakaļ, brauciet līdz ceļa sazarojumam, tad pagriezieties pa labi.

Turn back and go to the road junction, then turn right.

Lūdzu jūsu braukšanas apliecību!

Your driving licence, please.

Jūs esat apstājies neatļautā vietā.

You've parked illegally.

Jūs esat pārkāpis krustojuma šķērsošanas noteikumus.

You've disregarded the right-of-way rules.

Pagrieziens pa labi (pa kreisi) šeit aizliegts.

There is no right (left) turn here.

Apdzīšana šai ceļa posmā aizliegta.

No passing zone.

Apdzīt aizliegts.

No passing.

Jūs pārsniedzāt ātrumu.

You were speeding.

Jums būs jāmaksā sods.

You'll have to pay a fine.

Es neievēroju zīmi.

I didn't notice the sign.

Stāvvieta, kempings

Parking Groud Camping

Kur es varētu novietot mašīnu?

Where can I park the car?

Varat novietot mašīnu blakus viesnīcai (motelim).

You can park your car right next to hotel (motel).

Jums jānovieto mašīna stāvvietā.

You should park car at the parking ground.

Kā aizbraukt līdz stāvvietai?

How do I get to the parking ground?

Tūlīt es jums izrakstīšu autonovietnes biļeti.

I'll write a ticket (pass) for the parking area right away.

Šī ir iebraukšanas (izbraukšanas) caurlaide.

This is the entry (exit) pass.

Maksa par vienu nakti ir...

The cost for one night is ...

Kur ir jūsu mašīnas atslēgas?

Where are your car keys?

Vai jums vajadzīga telts?

Do you need a tent?

Lūdzu, parādiet mums telts vietu.

Please show us our camping place.

Vai jums ir brīvas kotedžas?

Do you have a vacant bungalow?

Kur mēs varētu saņemt gultasveļu?

Where can we get bed linen?

Tehniskās apkopes stacijā

At the Service Station

Kā lai sazinos ar tehniskās apkopes staciju?

How can I get in touch with the service station?

Vai jūs varētu piezvanīt tehniskās apkopes stacijai un lūgt palīdzību?

Could you call the service station and ask them for help?

Vai jūs varētu atsūtīt mehāniķi?

Could you have a mechanic sent here?

Lūdzu, uzbrauciet uz estakādes!

Drive on the ramp, please.

Es gribētu, lai jūs atrodat un salabojat vainu.

I'd like you to locate and fix the fault.

Kur varētu salabot mašīnu?

Where can I have this car fixed?

Riepa ir tukša.

The tire is flat.

Motors nav kārtībā.

The motor is not working properly.

Man nav rezerves daļu.

I've no spare parts.

Vai bez šiem labojumiem var braukt tālāk?

Can I go on without fixing this?

Cik laika nepieciešams remontam?

How long will the repairs take?

Cik esmu jums parādā?

How much do I owe you?

Manai mašīnai pārdurta riepa (izsists aizsargstikls).

I have a punctured tire (a broken windscreen).

Man liekas, ka te kaut kas nav kārtībā.

I think there is a problem here.

Lūdzu rēķinu par mašīnas apkopi.

Give me the bill for fixing (serving) the car, please.

Kāda ir jūsu mašīnas marka?

What make is your car?

Degvielas uzpildes stacijā

At the Filling Station

Kur ir tuvākā degvielas
uzpildes stacija?
Cik maksā litrs (galons)
benzīna?
Deviņus litrus parastā
(augstākā labuma) ben-
zīna.
Man vajadzīga dīzeļdeg-
viela.
Piepildiet pilnu tvertni,
lūdzu!
Vai jums ir bremžu šķid-
rums (destilēts ūdens,
antifrīzs, eļļa)?
Lūdzu, nomazgājiet ma-
šīnu (pielejiet ūdeni
radiatorā, piepumpē-
jiet riepas)!

Where's the nearest filling
station?
How much is one litre
(gallon) of petrol (gas)?
Nine litres of standard
(premium) petrol (gas).

I need diesel fuel.

Fill the tank up, please.

Do you have brake fluid
(distilled water, anti-
freeze, oil)?
Please wash the car (fill
the radiator with water,
pump up the tires).

aizdedze	ignition
aizdedzes atslēga	ignition key
aizdedzes svece	spark-plug
aizdegties	catch fire
akselerators, gāzes pedālis	accelerator, gas pedal
akumulators	battery
āmurs	hammer
antifrīzs	antifreeze
apbraucamais ceļš	detour
apdzīšana	passing, overtaking
ātruma ierobežojums	speed limit
ātruma pārslēgs	gear-shift
ātruma pārsniegšana	speeding

ātrums	speed
autoapkopes stacija	auto service
autobuss	bus
automaģistrāle	highway
automobilists	motorist
automobiļa numurs	licence (registration) number
automobiļa valsts reģistrācijas numurs	licence plate
autoremonta darbnīca	auto-repair shop
autovadītājs	driver
avārija	accident
bagāžnieks	boot, trunk
buferis	bumper
benzīnkanna	petrol can, gas can
benzīna tvertne	tank
benzīna vads	petrol line, gas line
benzīns	petrol, gasoline
bojājums	troubl
bremze	brake
bremžu signāls (stopsignāls)	brake-light
bremžu šķidrums	brake fluid
brīdinājuma zīme	warning sign
ceļš	road
ceļazīme	road sign
degvielas uzpildes stacija	filling station
domkrats	jack
drošības josta	safety belt
dzelzceļa pārbrauktuve	railway crossing
dzinējs	engine
eļļa	oil
eļļas sūknis	oil pump
gaismas signāls	traffic light
gājējs	pedestrian
garāža	garage
darba rīks, instruments	tool
izpūtējs	exhaust pipe
kamera	inner tube

karburators	carburetor
kloķvārpsta	crankshaft
kravas mašīna	lorry; truck
krustojums	intersection
ķēdes pret slīdēšanu	antiskid chains
motocikls	motorcycle
motors	motor
motora pārsegs	bonnet, hood
pagrieziens	turn
kreisais (labais) —	right (left) —
pagrieziens par 180°	U-turn
paņemt tauvā	tow
pārnesumkārba	gear-box
piekabe	trailer
plakanknaibles	pliers
priekšējais stikls	windscreen, windshield
radiators	radiator
remonts	repairs
rezerves daļa	spare part
riepa	tire; tyre
ritenis	wheel
sadursme ar citu mašīnu	collision with another car
sajūgs	clutch
satiksmes negadījums	motor (car) accident
satiksmes noteikumi	traffic regulations
satiksmes noteikumu pārkāpums	violation of traffic regulations
signālspuldze	signal lamp
skrūvgriezis	screwdriver
spidometrs	speedometer
spiediens riepās	tire (tyre) pressure
starmetis	headlight
starteris	starter
stāvvieta	parking ground
stiklu tīrītāji	windscreen (windshield) wipers
stūre	steering-wheel

sūknis	pump
šasija	chassis
tehniskais stāvoklis	technical condition
trose	tow-line
uzgriežņu atslēga	spanner
ūdens	water
vieglā mašīna	passenger car

UZ ROBEŽAS

Pasu kontrole

Kur, lūdzu, ir pasu kontrole?
Esmu Latvijas pilsonis.
Mans uzvārds ir Bērziņš.
Te ir mana pase.
Man ir diplomātiskā pase.
Te ir mana tranzītvīza (iebraukšanas vīza, izbraukšanas vīza).
Kāds ir jūsu brauciena mērķis?
Mana brauciena mērķis ir darba jautājumi (tūrisms, personiska rakstura).

Es braucu uz Lielbritāniju (Itāliju, Brazīliju).
Bērni ierakstīti (bērns ierakstīts) manā (manas sievas) pasē.
Lūdzu, palīdziet man aizpildīt šo veidlapu!
Kur man jāparakstās?
Es gribētu sazināties ar vēstniecību (konsulātu).

Mēs vēlētos sastapt sūtni (konsulu, pārstāvi).

AT THE BORDER

Passport Control

Where's the passport control, please?
I'm a citizen of Latvia.
My last name is Bērziņš.
Here's my passport.
I've a diplomatic passport.
Here's my transit (entry, exit) visa.

What's the purpose of your trip (visit)?
The purpose of my trip (visit) is business (tourism, personal).

I'm going to Great Britain (Italy, Brazil).
The children (my child) are (is) listed on my (my wife's) passport.
Please help me with this form.
Where do I sign?
I'd like to get in touch with the Embassy (consulate).

We'd like to see the ambassador (consul, representative).

Muitas kontrole

Customs Check

Kā nokļūt muitā?

Which way to customs?

Kur ir bagāžas kontrole?

Where's the baggage check?

Man vajadzīga muitas deklarācijas veidlapa.

I need a customs declaration form.

Mana automašīna reģistrēta Latvijā.

My car (automobile) is registered in Latvia.

Vai varu braukt?

May I drive through now?

Lūdzu, atveriet čemodānu!

Open your bag, please.

Man ir līdzi Latvijas (Anglijas, Amerikas, Austrālijas) nauda.

I've Latvian (British, American, Australian) currency with me.

Man nav nekā muitojama.

I've nothing to declare.

Te ir mana bagāža.

Here's my luggage.

Te ir mana ievešanas licence.

Here's my import licence.

Man ir tikai personīgās lietas.

I've only things for personal use.

Vai par šīm mantām jāmaksā muita?

Are these things subject to duty?

Man ir vairākas dāvanas un suvenīri.

I've several presents and souvenirs.

Cik liels muitas nodoklis man jāmaksā?

How much duty must I pay?

Man līdzi ir pudele degvīna, pudele vīna un cigarešu bloks.

I've with me a bottle of vodka, a bottle of wine and a carton of cigarettes.

Te ir mana pase (muitas deklarācija, starptautiskā vakcinācijas apliecība, starptautiskās autovadītāja tiesības).

Here's my passport (customs declaration, international vaccination certificate, international drivers licence).

Lūdzu, uzrādiet muitas atļauju (kvīti, tehnisko pasi, starptautisko apdrošināšanas polisi).

Please show your customs permission (receipt, registration certificate, international insurance certificate).

aizliegts	prohibited, forbidden
aizpildīt deklarāciju	make out a declaration
alkoholiskie dzērieni	alcoholic beverages
ārzemnieks	foreigner
bagāža	luggage, baggage
bagāžas kvīts	baggage ticket
bagāžas pārbaude	baggage check
brauciena mērķis	purpose of the trip
ceļojums	journey, trip
cigaretes	cigarettes
dārglietas	valuables
dokuments	document
fotoaparāts	camera
ieroči	fire-arms, weapons
kinokamera	movie camera
komandējums	business trip
konsulāts	consulate
medicīniskā kontrole	medical control
muita	customs
muitas deklarācija	customs declaration
muitas ierobežojumi	customs limits
muitas kontrole	customs inspection
muitas nodoklis	customs duty
muitas noteikumi	customs regulations
muitas pārvalde	customs office
muitnīca	customs station, custom-house
muitnieks	customs inspector
muitojams	subject to duty
narkotikas	narcotics
nemuitojams	duty-free

pārstāvniecība	agency
pase	passport
pases numurs	passport number
pasu kontrole	passport control
pasu kontroles dienesta ierēdnis	passport control officer
pavalstniecība	citizenship
pilsonība	citizenship
profesija	profession
robeža	border
starptautiskā vakcinācijas apliecība	international vaccination certificate
sudrabs	silver
tabaka	tobacco
tūrisma brauciens	tourist trip
tūrisma dokumenti	tourist documents
valūta	currency
ārzemju —	foreign —
Latvijas —	Latvian —
vēstniecība	embassy
video kamera	video camera
vīza	visa
iebraukšanas —	entry —
izbraukšanas —	exit —
tranzītvīza	transit —
vīzas pagarinājums	visa extension
zelts	gold
zīmogs	stamp, seal

VALŪTAS MAIŅA. NAUDA

CURRENCY EXCHANGE. MONEY

Kur es varētu samainīt valūtu?

Where can I change money?

Kur atrodas tuvākā banka (maiņas punkts)?

Where's the nearest bank (exchange office)?

Kur iespējams samainīt ceļotāju čekus?

Where can I exchange travellers cheques?

Kāds ir bankas darba laiks?

What are the operating hours of the bank?

Pie kura lodziņa man būtu jāpieiet?

Which window should I go to?

Es gribētu saņemt naudu pret šo čeku.

I'd like to cash this cheque.

Vai esat saņēmuši čeku (naudas pārvedumu) uz mana vārda?

Have you received a cheque (a money order) in my name?

Es gribētu samainīt šo naudu guldeņos (Beļģijas frankos, Vācijas markās).

I'd like to change this into guilders (Belgian francs, German marks).

Kāds ir sterliņu mārciņu (spāņu pesetu, ASV dolāru) apmaiņas kurss?

What's the rate of exchange for pounds sterling (Spanish pesetas, US dollars)?

Cik liela ir komisijas nauda?

How much is the commission?

Kāda valūta jums ir?

What currency do you have?

Cik valūtas jūs gribētu mainīt?

How much currency would you like to change?

Kur man parakstīties?	**Where should I sign?**
Vai es varētu lūgt kvīti par valūtas maiņu?	**Could I have a receipt for the currency exchange, please?**
Vai jūs varētu samainīt šo 100 dolāru naudas zīmi 20 dolāru banknotēs un sīkāk?	**Can you give me change for this one hundred-dollar bill in twenty-dollar bills and smaller?**

apmaiņa	**exchange**
banka	**bank**
banknote	**bank note, bill**
cents	**cent**
čeks	**cheque, check**
apmaksāt čeku	**pay a cheque**
saņemt naudu ar čeku	**cash a cheque**
čeka īpašnieks	**signer of a cheque**
dolārs*	**dollar**
franks	**franc**
kase	**cash register**
komisijas nauda	**commission**
kontrolparaksts	**countersignature**
lats	**lat**
mainīt naudu	**get change for money**
maiņas punkts	**exchange office**
(sterliņu) mārciņa**	**pound (sterling)**
marka	**mark**

---

*) ASV apgrozībā atrodas 1, 5, 10, 20, 50, 100 un 500 dolāru banknotes; 1 cents (penny), 5 centi (nickel), 10 centi (dime), 25 centi (quarter), 50 centi (half-dollar) un 1 dolāra monētas (1 dolārs = 100 centiem).
**) Lielbritānijā apgrozībā ir 1, 5 un 10 mārciņu banknotes; monētas: 1/2, 1, 2, 5, 10, 50 pensi un 1 mārciņa (1 mārciņa = 100 pensiem).

monēta	coin
nauda	money
paraksts	signature
penss	penny *(dsk. pence par naudas summu; pennies — par atsevišķām monētām)*
santīms	santim
sīknauda	change
tūristu čeks	traveller's cheque
valūta	currency
ārzemju —	foreign —
brīvi konvertējama —	hard —
mainīt valūtu	change —
valūtas kurss	rate of exchange

VIESNĪCĀ
Iekārtošanās

Kurā viesnīcā mēs apme-
tīsimies?
Kur atrodas šī viesnīca?

Man vajadzīga viesnīca
netālu no starptautiskā
gadatirgus (izstādes,
kongresa centra).
Vai es varu rezervēt nu-
muru?
Lūdzu, rezervējiet istabu
viesnīcā ...
Vai jums ir brīvi numuri?

Man nav brīvu numuru.
Atvainojiet, brīvu vietu
nav.
Man ir rezervēts numurs.
Esmu rezervējis istabu
ar vēstules (telegram-
mas, telefona, faksa)
starpniecību.
Mans uzvārds ir ...
Te ir mana vizītkarte (pa-
se).
Lūdzu, palīdziet man iz-
pildīt šo veidlapu?
Man (mums) vajadzīgs
vienvietīgs (divvietīgs)
numurs.

AT THE HOTEL
Checking in

In which hotel are we
staying?
Where's that hotel loca-
ted?
I need a hotel not far from
the international fair
(exhibition, the congress
centre).
Can I book a room?

Please reserve a room in
the ... Hotel.
Do you have any vacan-
cies, please?
I've no rooms left.
Sorry, we're full.

I've a reservation.
I reserved a room by letter
(telegram, telephone,
fax).

My last name is ...
Here's my card (passport).

Please help me fill in this
form.
I (we) need an apartment
for one person (two
persons).

Es vēlētos numuru uz vienu diennakti.

I want a room for one day.

Cik ilgi jūs paliksit pie mums?

How long will you be staying with us?

Es (mēs) domāju palikt vienu dienu (divas nedēļas, mēnesi).

I (we) plan to stay for one day (two weeks, a month).

Cik jāmaksā par šo numuru diennaktī?

What's the price per night?

Kāds ir manas istabas numurs?

What's my room number?

Kurā stāvā atrodas mana istaba?

On what floor is my room?

Jūsu istaba ir pirmajā (otrajā) stāvā.

Your room's on the ground (first) floor.

Vai numurā ir gaisa kondicionētājs (telefons, televizors, ledusskapis, radio, minibārs)?

Does the room have an air-conditioner (a telephone, television, a refrigerator, a radio, a mini-bar)?

Vai drīkstu apskatīt numuru?

May I see the room?

Šis numurs man der (neder).

This room's fine (won't do me).

Vai jums būtu labāks (lētāks, klusāks) numurs?

Do you have a better (cheaper, quieter) room?

Vai viesnīcā ir restorāns (pasts, avīžu kiosks)?

Is there a restaurant (post office, newspaper stand)?

Vai drīkstu atstāt naudu (vērtslietas) seifā?

May I leave my money (some valuables) in the safe?

Kur es varētu novietot mašīnu?

Where can I park my car?

Kur atrodas pakalpojumu birojs (aviobiļešu kase, dzelzceļa biļešu kase, valūtas maiņa)?

Where's the service bureau (the air ticket office, the rail ticket office, currency exchange)?

Vai man jāsamaksā iepriekš, vai aizbraucot?

Es vēlētos dzīvot pilnā (nepilnā) pansijā.

Do I pay in advance or on departure?

I'd like full (half) board.

Apkalpošana

Kur atrodas lifts?

Man uz augšējo (5., 6. ...) stāvu, lūdzu!

Vai jūsu viesnīcā ir peldbaseins?

Vai viesnīcā var pasūtīt biļetes uz teātri (kino, koncertu)?

Kur un cikos ir brokastis?

Lūdzu, atnesiet man brokastis numurā!

Manā numurā ir pārāk karsti (auksti).

Lūdzu, salabojiet (noregulējiet) apsildīšanu, apmainiet spuldzīti.

Manā numurā sabojājies televizors (gaisa kondicionētājs, ventilators).

Kur atrodas elektriskais kontakts bārdas skujamajam?

Kāds šeit ir spriegums?

Lūdzu, uzmodiniet mani pulksten sešos (astoņos)!

Lūdzu, atnesiet pelnutrauku (segu, dvieli)!

Hotel Services

Where's the lift (elevator)?

The top (fourth, fifth ...) floor, please.

Is there a swimming-pool in your hotel?

Can I (we) book the theatre (cinema, concert) tickets at the hotel?

When and where is breakfast served?

Bring the breakfast to my room, please.

It's too hot (cold) in my room.

Please fix (adjust) the heating, change the light bulb.

The television (air-conditioner, fan) in my room's out of order.

Where's the outlet for an electric shaver?

What's the voltage here?

Please wake me at six (eight) o'clock.

Please bring an ashtray (a blanket, a towel).

Lūdzu, atsūtiet apkopēju (oficiantu, kurjeru)!

Please send a chambermaid (waiter, messenger).

Lūdzu iztīriet (salabojiet, izgludiniet, izmazgājiet) šos te!

Please have these things cleaned (fixed, ironed, laundered).

Kad tas būs gatavs?

When will it be ready?

Lūdzu, iedodiet man 10. numura atslēgu!

Please give me the key to number ten.

Esmu aizmirsis atslēgu numurā.

I left my key in my room.

Vai uz mana vārda nav atstāta vēstulīte (zīmīte, telegramma)?

Is there any letter (note, telegram) for me?

Sakiet, lūdzu, kā piezvanīt uz pilsētu (aviosabiedrību ...)?

Could you tell me how to phone into town (the airline ...)?

Vai kāds man ir zvanījis?

Have there been any calls for me?

Vai kāds mani meklēja?

Has anyone asked for me?

Man būs viesi.

I'm expecting visitors.

Ja mani kāds meklēs, es esmu restorānā (... numurā, būšu pēc pulksten ...).

If anyone asks for me, I'm in the restaurant (in room number ..., away until ... o'clock).

Sakiet, ka es drīz atgriezīšos.

Please say that I'll be back soon.

Kurā numurā apmeties ... kungs (... kundze, ... jaunkundze)?

What room is Mr ... (Mrs ..., Miss ...) staying in?

Kad atiet autobuss uz lidostu (dzelzceļa staciju)?

When does the bus leave for the airport (railway station)?

No viesnīcas atiet autobuss uz ...

There's a bus from the hotel to ...

Es aizbraukšu šodien (rīt) pulksten ...

I'm leaving today (tomorrow) at ... o'clock.

Sagatavojiet rēķinu, lūdzu!	Please make up the bill.
Es gribētu samaksāt tūlīt.	I'd like to pay right now.
Lūdzu, pasūtiet mašīnu uz pulksten ... vakarā (no rīta)!	Please have a car sent at ... p.m. (a.m.).
Lūdzu, izsauciet taksometru!	Please call a taxi.
Lūdzu, atsūtiet kādu pēc mantām!	Please send someone for the luggage.
Man adresētās vēstules lūdzu sūtiet uz ...	Please have my mail forwarded to ...

adrese	address
aizbraukšana	departure
aizpildīt veidlapu	fill in a form
apkalpošana	service
apkopēja (istabene)	chambermaid, maid
apmesties viesnīcā	stay on in a hotel
atslēga	key
avīžu kiosks	newspaper stand
bagāža	luggage; baggage
bojājums	damage, defect
brokastis	breakfast
delegācija	delegation
dežurējošais administrators	administrator on duty
drēbju pakaramais	(coat-) hanger
duša	shower
galda lampa	table lamp
gludeklis	iron
gludināt (izgludiniet, lūdzu!)	iron (please iron)
gultasveļa	bed linen
iekļaut rēķinā	put on (one's) bill
(iz)mazgāt (izmazgājiet, lūdzu)	wash (please wash)

izrakstīšanas laiks*	check-out time
izsaukt (izsauciet, lūdzu!)	call (please call)
jautāt	ask, inquire, question
kondicionētājs	air-conditioner
kontaktligzda	outlet
kvīts	receipt
ledusskapis	refrigerator
lifts	lift, elevator
luksa numurs	de luxe room
mazgāšana	laundry
modināt (pamodiniet mani)	wake (wake me)
nesējs	porter
numurs	room
vienvietīgs —	single —
divvietīgs —	double —
pakalpojumi	services
pakalpojumu birojs	service bureau
palags	sheet
pase	passport
pelnutrauks	ashtray
(pie)zvanīt	call
portjē	desk clerk, concierge
pusdienas	lunch *(parasti pusdienlaikā, darba dienas vidū)*
	dinner *(parasti vakarā, dažreiz pusdienlaikā)*
radio	radio
reģistrācija	registration
rēķina samaksa	payment of a bill
rēķins	bill
remontēt	repair
rezervēt numuru	reserve a room
salabot	fix, repair

---

*) Londonas, Vašingtonas un Ņujorkas viesnīcās izrakstīšanās laiks parasti ir plkst. 12^{00} dienā; ASV mēdz būt norādīts zīmē uz numura durvīm.

saliekamā gulta	cot, folding bed
samaksāt rēķinu	pay a bill
sauna	sauna
sega	blanket
seifs	safe
spilvendrāna	pillow-case
spilvens	pillow
spriegums	voltage
spuldze	lamp, light-bulb
stāvs	storey, floor
suvenīru kiosks	souvenir stand
šveicars	doorman
telekss	telex
televizors	television
tualete	toilet, rest room, washroom
sieviešu —	women's —
vīriešu —	men's —
ūdens	water
karsts —	hot —
auksts —	cold —
uzglabāšanas kamera	left-luggage office ; baggage-check room
uzvārds	last name; family name
vakariņas	supper
vannas istaba	bathroom
veidlapa	form
ventilators	ventilator, fan
vērtslietas	valuables
vestibils	lobby, vestibule
viesnīca	hotel
ziepes	soap

RESTORĀNĀ, BĀRĀ, KAFEJNĪCĀ

IN THE RESTAURANT, IN THE BAR, IN THE CAFE

Cikos jūs ēdat brokastis (otrās brokastis, pusdienas, vakariņas)?

When do you have breakfast (lunch, dinner, supper)?

Šis ēdiens ir garšīgs (negaršīgs).

This is tasty (not tasty).

Ko jūs dzersit?

What would you like to drink?

Lūdzu, paņemiet vēl kādu gabalu zivs!

Take some more fish please.

Paldies, labprāt.

Thank you, with pleasure.

Nē, paldies.

No, thank you.

Es vēlētos vēl vienu tasi kafijas (vēl vienu glāzi sulas).

I'd like another cup of coffee (another glass of juice).

Vai drīkstu smēķēt?

May I smoke?

Vai drīkstu piedāvāt cigareti?

May I offer you a cigarette?

Atvainojiet, vai drīkstu palūgt uguni?

Excuse me, would you give me a light?

Kur iespējams lēti paēst (ātri ieēst)?

Where can I get an inexpensive meal (a quick snack)?

Kur varētu iedzert sulu (alu, vīnu)?

Where can I get some juice (some beer, some wine)?

Kur ir kāda kafejnīca (kāds restorāns, bārs, bufete)?

Where's there a cafe (restaurant, bar, snack, snack bar)?

Vai varat man ieteikt labu restorānu?

Could you recommend a good restaurant?

Cikos tas sāk (beidz) strādāt?

When does it open (close)?

Vai varu pasūtīt galdiņu?

May I book (reserve) a table?

Mēs esam divi (trīs, četri).

There are two (three, four) of us.

Es (mēs) gribētu apsēsties stūrī (pie loga, uz terases, tālāk no orķestra).

I'd (we'd) like to sit in a corner (by the window, on the terrace, further away from the band).

Ēdienkarti, lūdzu!

Menu, please.

Es vēl neesmu izvēlējies, ko pasūtīt.

I'm not ready to order yet.

Lūdzu, atnesiet vēl vienu glāzi (pelnutrauku, salveti, karoti).

Please bring one more glass (ashtray, napkin, spoon).

Kādu aperitīvu jūs ieteiktu?

Which apéritif would you recommend?

Ko no aukstajām (karstajām) uzkodām (gaļas, zivju, deserta ēdieniem) jūs varētu ieteikt?

What do you recommend for a cold (hot) appetizer (meat, fish dishes, for dessert)?

Kādi ir jūsu firmas (nacionālie) ēdieni?

What are your specialty (national dishes)?

Mēs vēlētos zušus (teļa gaļu, bifšteku).

We'd like eels (veal, beefsteak).

Man garšo bifšteks ar asinīm (līdz galam neizcepts, labi izcepts).

I'd like my steak rare (medium rare, well done).

Esmu veģetārietis.

I'm a vegetarian.

Vai jums ir veģetārie ēdieni?

Have you any vegetarian dishes?

Es gribētu vīnu.

I'd like some wine.

Es dodu priekšroku sausajiem vīniem.

I prefer dry wines.

Lūdzu, atnesiet pudeli alus (glāzi sulas, tasi kafijas)!
Es ievēroju diētu.

Vai jūs to varētu apmainīt?
Man patīk jūsu virtuve.

Bija ļoti garšīgi.
Rēķinu, lūdzu.
Cik lielu dzeramnaudu lai atstāju?*

Please bring a bottle of beer (a glass of juice, a cup of coffee).
I follow a diet. (I am on diet.)
Could you replace this?
My compliments to the chef.
This is very good.
Cheque please.
How much shall I leave for the tip?

Ēdienkarte

Brokastis

angļu brokastis *(karstās brokastis — omlete ar šķiņķi, auzu biezputra utt.)*

amerikāņu brokastis *(parasti augļu sula, cepta ola ar šķiņķi, speķi vai cīsiņiem, grauzdētas maizītes, kafija, smalkmaizītes vai karstas vafeles ar sviestu un sīrupu)*

«kontinentālās brokastis» *(vieglas brokastis; parasti kafija ar smalk- maizīti un ievārījumu)*

Menu

Breakfast

English breakfast

American breakfast

continental breakfast

---

*) ASV pieņemts atstāt dzeramnaudu 15% apmērā no kopējā rēķina.

augļu sula	fruit juice
auzu pārslu biezputra	oatmeal
ceptas olas ar speķi (šķiņķi, cīsiņiem)	fried eggs with bacon (ham, frankfurters)
cīsiņi	frankfurters
cukurs	sugar
etiķis	vinegar
grauzdēta maizīte	toast
ievārījums	jam
kafija	coffee
karstas vafeles	hot waffles
kūka	pastry, cake
kukurūzas pārslas	corn-flakes
maize	bread
maizīte ar tajā ieceptu karstu cīsiņu	hot dog
medus	honey
ola	egg
omlete	omlet(te)
pankūkas	pancakes
pārslas ar pienu	cold cereal with milk
pastēte	pâté
pipari	pepper
sāls	salt
siers	cheese
sinepes	mustard
smalkmaizīte	roll, bun
speķis	bacon
sviestmaize	sandwich
sviests	butter
šķiņķis	ham
tēja	tea

Pusdienas, vakariņas

Dinner, Lunch, Supper

Uzkožamie

Hors d'Oeuvres

austeres
ikri
krabju kokteilis
rostbifs
salāti
sardīņu salāti
sēnes
svaigu garneļu kokteilis
šampinjoni krējumā
zivis
zivju (gaļas) galerts

oysters
caviar
crab cocktail
roast beef
salad
sardine salad
mushrooms
fresh shrimp cocktail
mushrooms in sour cream
fish
fish (meat) in aspic

Pirmie ēdieni

First Courses

buljons
zupa
  biezeņa —
  nūdeļu —
  sīpolu —
  tomātu —
  vēršastes —
  zivju —

bouillon, broth
soup
  purée
  noodle —
  onion —
  tomato —
  ox-tail —
  fish —

Otrie ēdieni

Second Courses

ZIVJU ĒDIENI

FISH DISHES

āte baltajā mērcē
forele
līdaka

halibut in white sauce
trout
pike

menca	cod
uz iesma cepta store	spitted sturgeon
zivs ar eļļā ceptiem kartupeļiem	fish and chips
zutis	eel

GAĻAS ĒDIENI

MEAT DISHES

aknas	liver
asinsdesa	black pudding, blood sausage
bifšteks	beefsteak
ceptas gaļas asorti	assorted roast meats
cūkgaļa	pork
cūkgaļas karbonāde	pork chop
guļašs	goulash
«hamburgers» *(kotlete vai kapāts bifšteks maizītē)*	hamburger
jēra gaļa	mutton
liellopa gaļa	beef
medījuma cepetis	venison
mēle	tongue
nieres	kidneys
sacepums ar teļa nierēm	kidney pie
sautēta gaļa ar kartupeļiem	hot-pot, stew
teļa gaļa	veal
teļa gaļas karbonāde	veal cutlet

MĀJPUTNU UN MEŽA PUTNU ĒDIENI

POULTRY AND GAME FOWL

fazāns	pheasant
pīle	duck
tītars	turkey

vista	chicken
— Kentukijas gaumē	Kentucky fried —
zoss	goose

MILTU, PUTRAIMU UN PIENA ĒDIENI

GRAIN AND MILK DISHES

biezpiens	curds, cottage cheese
jogurts	yoghurt, yogurt
piens	milk
pudiņš	pudding
putra	porridge
saldais krējums	cream
skābais —	sour —
siers	cheese
Holandes —	Dutch —
krējuma —	creamy —
Šveices —	Swiss —
Čedaras —	Cheddar —

DĀRZEŅI

VEGETABLES

artišoki	artichokes
bietes	beets
burkāni	carrots
kāposti	cabbage
Briseles —	Brussels sprouts
puķukāposti	cauliflower
skābi —	sauerkraut
kartupeļi	potatoes
cepti —	fried —
vārīti —	boiled —
ķiploki	garlic
lapu salāti	lettuce
mārrutki	horse radish

pētersīļi	parsley
pupas	beans
puravi	leeks
redīsi	radishes
sīpoli	onions
sīpolloki	green onions
spināti	spinach
tomāti	tomatoes
zaļie zirnīši	green peas

Deserts (saldie ēdieni)

Dessert

kūka	pastry, cake
kompots	stewed fruit
putukrējums	whipped cream
saldējums	ice cream, ice
smilšu mīklas torte	Madeira cake

AUGĻI

FRUITS

āboli	apples
ananāsi	pineapples
apelsīni	oranges
aprikozes	apricots
banāni	bananas
bumbieri	pears
citroni	lemons
greipfrūti	grapefruits
kivi	kiwi
mandarīni	tangerines
persiki	peaches
plūmes	plums
vīnogas	grapes
zemenes	strawberries

Bezalkoholiskie dzērieni

Soft Drinks

atspirdzinošs dzēriens	tonic
kafija (melna)	(black) coffee
kakao	cocoa
kokakola	Coca-Cola
pepsikola	Pepsi-Cola
sula	juice
šokolāde	chocolate
tēja (ar pienu)	tea (with milk)
ūdens	water
gāzēts —	soda —
minerālūdens	mineral —

Alkoholiskie dzērieni

Alcoholic Beverages

alus	beer
gaišais —	lager
tumšais —	bitter (dark)
aperitīvs	apéritif
balzams	balsam
degvīns	vodka
džins	gin
kokteilis	cocktail
konjaks	brandy, cognac
liķieris	liqueur
portvīns	port
punšs	punch
rums	rum
šampanietis	champagne
vermuts	vermouth
vīns	wine
viskijs	whisky

apkalpot	**wait on**
atvērt	**open**
bārs	**bar**
barojošs	**nourishing**
brokastis	**breakfast**
brokastot	**have breakfast**
diēta	**diet**
dot priekšroku	**prefer**
dzēriens	**drink, beverage**
ēdienkarte	**menu**
ēdiens	**food**
ēst	**eat**
firmas (sevišķs) ēdiens	**specialty**
galdiņš	**table**
gaļas ēdiens	**meat dish**
gardēdis	**gourmet**
garšvielas	**spices**
ielūgt	**invite**
ieteikt	**recommend**
ievērot diētu	**follow a diet**
izvēle	**selection**
kafejnīca	**café**
karstais ēdiens	**hot dish**
mērce	**sauce**
nogaršot	**try, taste**
nomainīt	**substitute**
oficiant/s (-e)	**waiter, waitress**
otrais ēdiens	**second course**
pasūtīt	**order**
pirmais ēdiens	**first course**
porcija	**portion**
pusdienas	**lunch** *(parasti pusdienlaikā);* **dinner** *(parasti vakarā)*
pusdienot	**have dinner**
rēķins	**bill, check**
restorāns	**restaurant**
saldais ēdiens	**dessert**

samaksāt rēķinu	pay a bill (check)
uzklāt galdu	set a table
uzkožamie	appetizers, starters, hors d'oeuvres
uzkožamie (kafejnīca)	snack bar
vakariņas	supper
vakariņot	have supper
veģetāriešu ēdiens	vegetarian dish
zāles pārzinis	head waiter
zivju ēdiens	fish dish

Garša, pagatavošanas veids

Taste, Way of Preparing

ass	spicy, hot
auksts	cold
bezgaršīgs	tasteless
bez sāls	unsalted
cepts krāsnī	roasted
— uz pannas	fried
— uz iesma	skewered
— uz restēm	grilled
garšīgs	good, tasty
jēls	raw
karsts	hot
konservēts	canned
kūpināts	smoked
marinēts	pickled
piededzis	burnt
rīvēts	grated
rūgts	bitter
salds (pārāk salds)	sweet (too sweet, cloying)
saldskābs	sweet and sour
sālīts	salted
sautēts	stewed
sīksts	tough

skābs	sour
slikti izcepts	underdone
svaigs	fresh
vārīts	boiled
žāvēts	dried
želeja	jellied

Galda piederumi, trauki

Cutlery, Plates and Dishes

alus krūze	mug, stein
apakštasīte	saucer
bļoda	bowl
cukurtrauks	sugar-bowl
dakšiņa	fork
deserta karote	dessert spoon
ēdamkarote	soup spoon
galdauts	tablecloth
glāze	glass
maza glāzīte	shot glass
kafijkanna	coffee-pot
karafe	carafe
karote	spoon
kauss	goblet
korķviļķis	cork-screw
mērces trauks	gravy-boat, sauce-boat
nazis	knife
paplāte	tray
pelnu trauks	ashtray
piena trauks-krūze	milk-jug
pipartrauciņš	pepperbox, pepper castor
pudele	bottle
sālstrauks	salt-cellar
salvete	napkin
sinepju trauks	mustard-pot

smeļamkarote	**scoop, ladle dipper**
sviesta trauks	**butterdish**
šķīvis	**plate**
dziļais —	**soup-plate**
lēzenais —	**dinnerplate**
tase	**cup**
tējkanna	**teapot**
tējkarote	**teaspoon**

PILSĒTĀ

Uzziņas

Es (ne)zinu ceļu.

Es esmu pilnīgs svešinieks šai pilsētā.

Esmu apmaldījies.

Es nezinu , kur īsti mēs pašlaik atrodamies.

Vai šis ir pareizais ceļš uz Nacionālo teātri (Modernās mākslas muzeju)?

Sakiet, lūdzu, kā sauc šo laukumu (ielu)?

Vai šī iela ved uz Trafalgāra laukumu (Gugenheima muzeju)?

Piedodiet, vai jūs man nepateiktu, kur ir tuvākais uzziņu birojs?

Sakiet, lūdzu, kur atrodas galvenā iela (centrālais laukums)?

Sakiet, lūdzu, kā es varētu nokļūt (aizbraukt) līdz ... teātrim (izstādei)?

Parādiet man to, lūdzu, šai kartē.

IN THE CITY

Asking One's Way

I (don't) know the way.

I'm a complete stranger in this city (town).

I've lost my way.

I don't know where exactly we are at the moment.

Is this the right way to the National Theatre (the Museum of Modern Art)?

What's the name of this square (street), please?

Does this street go to Trafalgar Square (the Guggenheim Museum)?

Excuse me, could you tell me where the nearest inquiry (information) office is?

Could you tell me where's the main street (the central square)?

Could you tell me how to get to the ... theatre (... exhibition)?

Please show me on this map.

Uzzīmējiet man maršrutu, lūdzu.

Would you please draw (sketch) the route for me?

Uzrakstiet , lūdzu, adresi.

Write down the address, please.

Kur ir tuvākais telefona automāts?

Where's the nearest public telephone?

Kur ir pāreja?

Where's the crossing?

Vai jūs man nepateiktu, kur šeit ir tualete?

Could you tell me where to find a wash-room (ladies' room, men's room, toilet)?

Kā visātrāk nokļūt līdz Londonas muzejam (Linkolna memoriālam)?

What's the quickest way to the Museum of London (the Lincoln Memorial)?

Vai līdz turienei iespējams aizbraukt ar autobusu (metro)?

Can I get there by bus (subway)?

Varat braukt ar autobusu (tramvaju, trolejbusu).

You can go by bus (tram, trolley-bus).

Cik ilgi jābrauc (jāiet) līdz centram?

How long does it take to reach the centre?

Vai ir par tālu iet kājām?

Is it too far to go on foot?

Tas ir tālu (tuvu).

That's a long way off (close by).

Kur ir tuvākā autobusa (tramvaja) pietura?

Where's the nearest bus stop (tram stop)?

Kur ir tuvākā metro stacija?

Where's the nearest subway station?

Es meklēju ... ielu (laukumu, māju Nr. ...).

I'm looking for ... street (square, number ...).

Kādā virzienā man būtu jāiet?

What direction should I go?

Uz šo pusi?

This way?

Pretējā virzienā.

In the opposite direction.

Pirmā (otrā) iela pa labi (pa kreisi).

The first (second) street to the right (to the left).

Jūs ejat nepareizā virzienā, jums jāgriežas atpakaļ.

You're going in the wrong direction, you must turn back.

Diemžēl es nevaru palīdzēt.

Unfortunately I can't help you.

Palīdziet man, lūdzu.

Help me, please.

Lūdzu, izsauciet ārstu (policiju, ātro palīdzību)!

Please call a doctor (call the police, the ambulance).

Esmu ārzemnieks.

I'm a foreigner.

Esmu tūrists no Latvijas.

I'm a tourist from Latvia.

Mūsu grupa apmetusies viesnīcā.

Our group is staying at the hotel.

Esmu atpalicis no grupas.

I've dropped behind my group.

Kā piezvanīt uz vēstniecību (konsulātu)?

How can I ring (call) the Embassy (Consulate)?

Mūsu delegācija izbrauc uz ...

Our delegation leaves for ...

Mēs šeit esam ekskursijā.

We're here on an excursion.

Autobuss, metro, tramvajs, trolejbuss

Bus, Subway (Tube), Tram, Trolley-bus

Cikos sāk kursēt autobusi (tramvaji, trolejbusi)?

When do the buses (trams, trolley-buses) start operating?

Līdz cikiem kursē metro vilcieni (autobusi)?

When do the underground trains (buses) stop operating?

Kur es varētu nopirkt biļeti (biļetes) uz autobusu?

Where can I buy a ticket (tickets) for the bus?

Cik jāmaksā par braucienu ar tramvaju (trolejbusu)?

What's the fare for the tram (trolley-bus)?

Vai man jāmaksā arī par bagāžu?

Must I pay for my luggage (baggage) as well?

Vai ir iespējams iegādāties kādu braukšanas (dienas, nedēļas) biļeti, piemērotu tūristiem?

Is there any (daily, weekly) ticket convenient for tourists?

Kur es varētu nopirkt autobusa (metro) mēnešbiļeti?

Where could I buy a monthly bus pass (tube, underground/subway season ticket)?

Vai man autobusa (metro, apvienotā) sezonas biļete ir derīga šai satiksmes zonai?

Is my bus pass (tube season ticket, travelcard) valid in this fare zone?

Kur ir tuvākā autobusa pietura?

Where's the nearest bus stop?

Kur ir 6. autobusa pietura?

Where does bus number six stop?

Kad ir nākošais autobuss?

When comes the next bus?

Kādā virzienā jābrauc līdz ...?

Which is the way to ...?

Vai šis autobuss iet līdz Grīnparkam (Teita galerijai)?

Does this bus go to the Green Park (the Tate Gallery)?

Kā var aizbraukt līdz ... parkam (...universitātei)?

How can I (we) get to the ... park (... university)?

Jums jābrauc ar 171. autobusu.

Take (bus number) one seventy one.

Kam vēl biļetes, lūdzu?

Any more fares, please?

Vienu (divas) biļeti (biļetes) līdz ..., lūdzu.

One (two) ticket (-s) to ..., please.

Vai es braucu pareizā virzienā uz centru (izstādi)?

Am I going in the right direction to the centre (exhibition)?

Nē, šis tramvajs iet pretējā virzienā.

Jūs esat iekāpis nepareizā autobusā (tramvajā).

Kāda ir nākošā stacija (pietura)?

Vai ... stacijā izeja ir pa kreisi vai pa labi?

Cik pieturu vēl palicis līdz ...?

Pasakiet, lūdzu, kad man jāizkāpj.

Kur man jāizkāpj (jāpārsēžas)?

Jums jāizkāpj šajā pieturā.

Jums jāpārsēžas Lesterskvērā.

Jums jābrauc līdz galam.

Jūs esat pabraucis garām savai pieturai.

Cik jāpiemaksā?

Esmu pazaudējis biļeti.

Esmu gatavs samaksāt soda naudu.

Lūdzu, virzieties uz priekšu!

Atļaujiet paiet jums garām.

Vai jūs izkāpsit tūlīt (nākošajā pieturā)?

Atļaujiet, man šeit jāizkāpj!

No, this tram is going in the opposite direction.

You're on the wrong bus (tram).

What's the next station (stop)?

Is the exit at ... station on the left or on the right?

How many stops until ...?

Please tell me when I must get out.

Where do I get off (transfer)?

You must get off at this stop.

You should change at Leicester Square.

You must go to the end of this line.

You've missed your stop.

How much extra do I've to pay?

I've lost my ticket.

I'll pay the fine.

Move on, please!

Please let me by (let me pass).

Are you getting off now (at the next stop)?

Excuse me, I must get off now!

Taksometrs

Vai mums jābrauc ar taksometru?

Vai var pasūtīt taksometru pa telefonu?

Lūdzu, izsauciet taksometru!

Lūdzu, atbrauciet uz šo adresi!

Kur ir taksometru stāvvieta?

Mēģiniet apturēt taksometru uz ielas.

Vai šis taksometrs ir brīvs?

Vai jūs varat uzņemt četrus cilvēkus?

Es ļoti steidzos.

Vispirms, lūdzu, uz Karalisko operu (Rokfellera centru)!

Aizvediet mani līdz Latvijas vēstniecībai (viesnīcai ..., lidostai)!

Apstājieties šeit, lūdzu!

Un tagad, lūdzu, uz ...

Cik esmu jums parādā?

Atradumu birojs

Kur ir atradumu birojs?

Taxi (Cab)

Must we take a taxi?

Can I order a taxi by telephone?

Would you call a taxi, please?

Come to this address, please.

Where's the taxi stand?

Try to stop a taxi on the street.

Is this cab free?

Can you take four people?

I'm in a great hurry.

First take me to the Royal Opera House (the Rockefellere Centre).

Take me to the Latvian Embassy (the ... hotel, the airport)!

Stop here, please.

And now take me to ..., please.

How much do I owe you?

The Lost and Found

Where's the Lost and Found?

Kāds ir atradumu biroja telefona numurs?

What's the telephone number for the Lost and Found?

Esmu aizmirsis taksometrā (metro, autobusā) lietussargu (fotoaparātu, cimdus).

I've forgotten umbrella (camera, gloves) in a taxi (the underground/subway, a bus).

Esmu pazaudējis kabatas portfeli (somu).

I've lost my wallet (my purse).

Ja pazudušais priekšmets atradīsies, lūdzu piezvaniet.

If the lost item is found, please call.

Lūk, mans telefona numurs.

Here's my telephone number.

Ekskursija pa pilsētu

Sightseeing

Apskatīsim pilsētu!

Let's go sightseeing.

Es gribētu nopirkt pilsētas plānu (ceļvedi, atklātnes ar pilsētas skatiem).

I'd like to buy the city map (the guide to the city, postcards with views of the city).

Vai pa pilsētu ir ekskursijas autobusos?

Are there guided coach tours of the city?

Cik šāda pilsētas apskate maksā un cik daudz laika tā aizņem?

How much does such a sightseeing tour cost and how long does it take?

Cikos sākas pilsētas apskate?

At what time does the city tour begin?

Ko ir vērts apskatīt pilsētā?

What's worth seeing in the city (town)?

Vispirms jums vajadzētu apskatīt ... laukumu (... pili, ... pieminekli).

First of all you should see ... square (... castle, ... monument).

Ko jūs gribētu apskatīt?

What would you like to see?

Es vēlētos apskatīt pilsētas centru (vecpilsētu, vēstures un arhitektūras pieminekļus).

I'd like to see the city centre (the old city, historical and architectural monuments).

Kad šī pilsēta dibināta?

When was this city (town) founded?

Cik iedzīvotāju šajā pilsētā?

What's the population of this city (town)?

Kur atrodas pilsētas padome?

Where's the city council?

Kādas partijas pārstāvētas pilsētas padomē?

What political parties are represented at the city council?

Kāda partija pilsētā ir visietekmīgākā?

Which is the most influential party in the city (town)?

Vai jūsu pilsēta ir ievērojams rūpniecības centrs?

Is your city a well-known industrial centre?

Jūsu pilsētas arhitektūra ir neparasti interesanta.

The architecture of your city (town) is extremely interesting.

Pilsētā ir četras augstskolas (astoņi teātri, daudz bibliotēku).

There are four institutions of higher education (eight theatres, many libraries) in the city.

Kā sauc šo ielu (šo laukumu)?

What's this street (square) called?

Kad celts šis tornis (šī ēka)?

When was this tower (this house) built?

Šis ... celts ... gadsimtā, ... gadā.

This ... was built in the ... century, in the year ...

Kas ir arhitekts?

Who's the architect?

Šo ... sagrāva.

This ... was destroyed.

Kas rakstīts uz memoriālās plāksnes?

What inscription is there on the memorial plaque?

Ko nozīmē šis uzraksts?	What does this inscription mean?
Kas tā par skulptūru?	What sculpture is that?
Kas ir šī pieminekļa autors?	Who's the sculptor of this monument?
Kad uzcēla šo pieminekli?	When was this monument erected?
Netālu no muzeja ir skaists parks (zooloģiskais dārzs).	Not far from the museum there's a lovely park (zoo).
Šis ir tirdzniecības centrs (rajons).	This is a trade centre (district).
Vai jums patīk mūsu pilsēta?	Do you like our city (town)?
Jā, ļoti.	Yes, very much.

adrese	address
apvienotā sezonas biļete	travelcard
atradumu birojs	the Lost and Found
autobuss	bus
autobusa sezonas biļete	bus pass
baznīca	church
biļete	ticket
braukšanas maksa	fare
braukt	go by, ride
bulvāris	boulevard
ceļš	road
celtne	building
dīķis	pond
dzelzceļa stacija	railway (train) station
ēka	house
eskalators	escalator
galapietura	end of the line
gids	guide
gleznu galerija	art gallery
ieeja	entrance

iekāpt, ienākt	enter
iela	street
iet kājām	go on foot (walk)
izeja	exit
izkāpt, iziet	get off, exit from, leave
jaunie dzīvojamie rajoni	new residental districts
katedrāle	cathedral
konsulāta nodaļa	consular section
konsulāts	consulate
kontrolieris	ticket collector
krastmala	embankment
krustojums	intersection
laukums	square
lidosta	airport, air terminal
luksofors	traffic lights
maršruts	route
metro	tube (subway, underground)
muzejs	museum
nākošā pietura	next stop
naudas sods	fine
osta	port
pagrieziens	turn
pazemes pāreja	underground crossing
pāreja	crossing, passage
pārsēsties	change, transfer
pārstāvniecība	mission
piemineklis	monument
pietura pēc pieprasījuma	request stop
pilsētas centrs	city centre
pilsētas plāns	city map
pirkt biļeti	buy a ticket
policijas iecirknis	police station
policists	policeman
priekšpilsēta	suburb
rajons	region
sastrēgumstunda	rush hour
satiksmes sastrēgums	traffic jam

satiksmes tarifa zona	**fare zone**
sāniela	**side-street, back-street, alley-way**
sīknauda	**small change**
skaitītājs	**meter**
skatu tornis	**observation tower**
skola	**school**
stāvvieta	**parking place**
sūtniecība	**embassy**
šoseja	**highway**
taisni	**straight-ahead**
taksometrs	**taxi**
taksometra vadītājs	**taxi driver**
tarifs	**rate, tariff**
tilts	**bridge**
tirdzniecības pārstāvniecība	**trade mission**
tirgus laukums	**market place**
tramvajs	**tram**
trolejbuss	**trolley-bus**
trotuārs	**pavement, sidewalk**
tualete	**toilet**

MUZEJI, GALERIJAS, IZSTĀDES

MUSEUMS, GALLERIES, ART EXHIBITIONS

Es (mēs) gribētu apskatīt pilsētas muzejus.

I (we)'d like to see the city museums.

Vai jūsu pilsētā ir vēstures muzejs (mākslas muzejs, gleznu galerija)?

Is there a museum of history (museum of fine arts, picture gallery) in this city?

Kur atrodas Britu muzejs (vaska figūru muzejs, Nacionālā galerija)?

Where is the British Museum (wax-figure museum, National Gallery)?

Es gribētu redzēt modernās mākslas muzeju (fotoizstādi).

I'd like to visit the museum of modern art (photo show).

Kādas izstādes pašlaik darbojas?

What exhibitions are open now?

Cikos muzejs (izstāde) sāk (beidz) darbu?

What time does the museum (exhibition) open (close)?

Vai muzejs atvērts katru dienu?

Is the museum open every day?

Cik maksā ieejas biļete?

How much does an admission cost?

Man (mums) vajadzīgs ekskursijas vadītājs, kas runā latviski (krieviski).

I (we) need a Latvian (Russian)-speaking guide.

Vai drīkst fotografēt?

Is it permitted to take photographs?

Vai jums ir Geinsboro (Reinoldsa, Konstebla) gleznas?

Do you have paintings by Gainsborough (Reynolds, Constable)?

Mani interesē glezniecība (tēlniecība, senie rokraksti).

I'm interested in painting (sculpture, ancient manuscripts).

Kur atrodas angļu (latviešu, spāņu, flāmu) glezniecības zāle?

Where is the English (Latvian, Spanish, Flemish) paintings?

Man patīk šī glezna (skulptūra, kompozīcija).

I like this picture (sculpture, composition).

Kā darbs tas ir?

Whose work is this?

Kad viņš (viņa) dzīvoja?

When did he (she) live?

Kādas skolas pārstāvis viņš ir?

What school does he belong to?

Vai tas ir oriģināls (kopija)?

Is that an original (a copy)?

Kur var nopirkt muzeja ceļvedi (katalogu, gleznu reprodukcijas)?

Where can I buy a guidebook to the museum (a catalogue, reproduction)?

abstrakcionisms	abstract painting
abstrakcionists	abstract painter
ainava	landscape
ainavu glezniecība	landscape painting
akvarelis	water-colour
angļu māksla	English art
arhitekts	architect
arhitektūra	architecture
antīkā māksla	ancient art
antīks	ancient
arheoloģisks atklājums	archeological find
audekls	canvas
autrumu māksla	Oriental art
Bristoles porcelāns	Bristol porcelain

ceļvedis	**guidebook**
daiļamatniecība	**handicraft**
dekoratīvā māksla	**decorative art**
ekskursija	**excursion, tour**
ekskursijas vadītājs	**tour guide**
eksponāts	**exhibit**
eļļas gleznas	**oils**
glezna	**picture, painting**
gleznains	**picturesque**
glezniecība	**painting**
gleznot	**paint**
gleznu galerija	**picture gallery**
gleznu kolekcija	**collection of paintings**
gobelēns	**tapestry**
grafika	**graphics**
gravīra	**engraving**
ieejas biļete	**ticket**
ikona	**icon**
impresionisms	**impressionism**
inkrustēts	**encrusted**
izsmalcināts	**refined**
izstāde	**exhibition**
izstādīt	**show**
izstāžu zāle	**exhibit hall**
jūras ainava	**sea-scape**
karikatūra	**caricature, cartoon**
katalogs	**catalogue**
klusā daba	**still life**
kolekcija	**collection**
kompozīcija	**composition**
kopija	**copy**
krāsa	**colour, color**
latviešu māksla	**Latvian art**
lauku ainava	**country scene**
lietišķā māksla	**applied art**
litogrāfija	**litograph**
māksla	**art**

mākslas darbs	work of art
māksliniecisks	artistic
mākslinieks	artist
marīnists	sea-scape painter
meistars	master
memoriālais muzejs	memorial museum
miniatūra	miniature
modernisms	modernism
monētu kolekcija	collection of coins
mozaīka	mosaic
mūsdienīgs	contemporary
mūsdienu mākslas muzejs	museum of modern (contemporary) art
muzejs	museum
nokrāsa	shade
oforts	etching
oriģināls	original
palete	palette
pašportrets	self-portrait
pilsētas ainava	city scene; townscape
plakāts	poster
politehniskais muzejs	polytechnical museum
porcelāns	porcelain; china
portrets	portrait
portretu glezniecība	portraiture
privātā kolekcija	private collection
reālisms	realism
reprodukcija	reproduction
restaurators	restorer
Rietumeiropas māksla	West-European art
salons	salon
sirreālisms	surrealism
skulptūra	sculpture
slavens	famous
šedevrs	masterpiece
tautas māksla	folk art
tēlotājmāksla	fine art

unikāls	**unique**
uzmetums	**sketch**
vaska figūra	**wax figure**
vēstures muzejs	**museum of history**
vitrāža	**stained glass window**
zāle	**hall**
zīmējums	**drawing**
zīmēt	**draw**
žanrs	**genre**

TEĀTRIS, KONCERTS, CIRKS, KINO

THEATRE, CONCERT, CIRCUS, CINEMA

Kur varētu uzzināt teātra (kino) repertuāru?

Where can I see the theatre (cinema) listing?

Ko jūs man ieteiktu apskatīt?

What would you advise me to see?

Cikos sākas vakara (dienas) izrāde?

When does the evening performance (matinée) begin?

Lugas (filmas) pirmizrāde ir šodien pulksten ...

The premiere of the play (film) is at ... today.

Cikos sākas koncerts (cirka izrāde)?

When does the concert (circus) begin?

Cik garš ir starpbrīdis?

How long is the intermission?

Cikos sākas (beidzas) seanss?

When does the show start (end)?

Šajā kinoteātrī seansi ir bez pārtraukuma.

This theatre shows films continuously.

Lūdzu, biļeti uz šodienu (rītdienu) pulksten ...

Please give me ticket for the ... o'clock showing today (tomorrow).

Dodiet man, lūdzu, biļeti tuvu skatuvei (parterā, ložā)!

Please give me a seat close to the stage (in the pit, in a box).

Lūdzu programmu.

I'd like a programme, please.

Kur atrodas bufete (tualete)?

Where's the buffet (rest room)?

Kur es varētu uzsmēķēt?

Where may I smoke?

Atvainojiet, kā nokļūt parterā (ložā, balkonā)?

Excuse me, how do I get to the pit (box, balcony)?

Lūdzu, ierādiet mums vietas!

Please show us our places!

Man gribētos aiziet uz operu (drāmas teātri, cirku).

I'd like to go to the opera (a dramatic theatre, circus).

Es gribētu noklausīties simfoniskās (tautas, džeza) mūzikas koncertu.

I'd like to hear a symphony (folk, jazz) music concert.

Kādas ir šīvakara izrādes (koncerti)?

What performances (concerts) are on this evening?

Cik cēlienu ir šajā izrādē?

How many acts are there?

Kas ir lugas autors?

Who's the author?

Kas ir režisors?

Who's the director?

Kas tēlo galveno lomu?

Who plays the leading role?

Kas ir jūsu iemīļotais aktieris (komponists, dramaturgs, dziedātājs)?

Who's your favourite actor (composer, playwright, singer)?

Kas diriģē (pavada)?

Who's conducting (accompanying)?

Vai jums patīk mūzika (dekorācijas, kostīmi)?

Do you like the music (scenery, costumes)?

Šī ir ļoti interesanta (jautra, garlaicīga) izrāde.

This is a very interesting (light-hearted, dull) play.

Man patīk šī teātra trupa.

I like this company.

Vai tēlotāju sastāvā ir slavenības?

Are there any stars in the cast?

Kas ir teātra galvenais režisors (direktors)?

Who's the artistic director (the producer) of the theatre?

Vai es varētu sastapt administratoru?

Could I see the box-office manager?

Vai N. šovakar tēlo galveno (epizodisku) lomu?

Is N. playing the main (leading) (a walk-on) part tonight?

Dekorācijas veidojis scenogrāfs N.

The sets were designed by the stage designer N.

Vai tas ir mūzikls (muzikālā komēdija)?

Is it a musical (a musical comedy)?

Šis iestudējums ir «kases gabals» (neveiksme).

This production is a box-office success (a flop).

Jūsu operas trupā ir lieliski solisti (labs koris).

There are excellent soloists (good chorus) in your opera company.

Šai simfonijai ir trīs (četras) daļas.

This symphony is in three (four) movements.

Programmā ir Baha, Vivaldi un Hendeļa skaņdarbi.

The program consists of works by Bach, Vivaldi and Handel.

Šodien mēs klausīsimies Rihteru spēlējam Brāmsa klaviermūziku.

Today we're going to hear Richter play a Brahms piano recital.

Vai jums patīk hārdroks («jaunais vilnis», «smagais metāls»)?

Do you like hard rock (new wave, heavy metal)?

Man ir biļetes uz jauno rokoperu grupas N. izpildījumā.

I've got tickets to the new rock opera performed by N.

Viņš ir tenors (baritons, bass).

He's a tenor (baritone, bass).

Viņa ir soprāns (koloratūrsoprāns, mecosoprāns, alts, kontralts).

She's a soprano (coloratura soprano, mezzo-soprano, alto, contralto).

Mēs vēlētos apmeklēt Karalisko Albertholu (Karalisko Operu)?

We'd like to visit the Royal Albert Hall (the Royal Opera House).

Es gribētu aiziet uz kino.

I would like to go to the movies.

Aiziesim uz kino!	Let's go to the pictures (movies).
Ko šodien rāda?	What's being shown today?
Man gribētos redzēt kinokomēdiju (mūziklu, kinohroniku, multiplikācijas filmu).	I'd like to see a comedy (musical, newsreel, cartoon).
Kurā kinoteātrī šo filmu rāda?	At what theatre is that film being shown?
Kā nokļūt līdz šim kinoteātrim?	How do I get to that theatre?
Vai šī filma ir krāsaina?	Is the film in colour?
Vai iespējams dabūt biļetes uz šo filmu?	Are tickets available for that film?
Kas spēlē šajā filmā?	Who's in this film?
Kas ir režisors (komponists, operators)?	Who's the director (composer, who did the shooting)?
Kas uzrakstījis scenāriju?	Who wrote the screenplay?
Vai jums patika filma?	Did you like the film?
Kas ir filmas direktors?	Who's the production manager of the film?
Vai filma ir dublēta?	Is the film dubbed?
Filma nav dublēta, bet tai ir subtitri.	The film is not dubbed, but it's got subtitles.
Es nepievērsu uzmanību titriem.	I didn't pay attention to the credit titles (the credits).
Es gribētu redzēt vēsturisku filmu (detektīvfilmu, filmu par karu).	I'd like to see a historic film (a thriller, a war film).

afiša	advertisment, bill
aina	scene
aktieris	actor, performer

aktrise	actress
akustika	acoustics
alts	alto
amfiteātris	amphitheatre
ansamblis	ensemble
apdāvināts	gifted
aplaudēt	applaud
aplausi	applause
ārija	aria, air
atskaņojums, izpildījums	performance
autorkoncerts	recital
baletdejotājs	ballerina; ballet-dancer
balets	ballet
balkons	balcony
baritons	baritone
bass	bass
beletāža, pirmais balkons	dress-circle
biļete	ticket
biļetes pārdotas	full house
binoklis	opera-glass
cēliens	act
cirka izrāde	circus act
cirks	circus
darbības vieta	scene of the action
daudzsološs	promising
debija	debut
deja	dance
dejotājs	dancer
dekorācijas	scenery
dekorators	set designer
diriģents	conductor
diriģēt	conduct
doties viesizrādēs	go on tour
drāma	drama
dramaturgs	playwright
dziedātājs	singer
dziesma	song

džezs	jazz
ekranizācija	film version
ekrāns	screen
ērģeles	organ
filma	film
foajē	lobby
galvenā loma	leading role
garderobe	cloakroom
hronika	newsreel
iestudēt lugu	stage a play
iluzionists	magician
izrāde	show; performance
kadrs	shot
kase	box-office
kino	cinematography; the cinema
kinoaktieris	film actor
kinofestivāls	film festival
kinokomēdija	comedy film
muzikālā komēdija	musical-comedy film
kinooperators	cameraman
kinorežisors	film director
kinoseanss	showing
kinostudija	film studio
kinoteātris	cinema, movie theatre
kinozvaigzne	filmstar
klausīties operu	listen to an opera
klavieres	piano
komēdija	comedy
komponists	composer
koncerts	concert
koncertzāle	concert hall
konservatorija	conservatoire
koris	choir
kormeistars	choir master
kritiķis	critic
kulises	wings
leļļu teātris	puppet theatre

loma	role
loža	box
luga	play
mažors	major key
mecosoprāns	mezzo-soprano
mēģinājums	rehearsal, practice
minors	minor key
multiplikācija	animation
mūzika	music
mūziķis	musician
neparasts	unusual
nevainojams	faultless
opera	opera
operators	cameraman, photographer
operete	operetta
oratorija	oratorio
orķestris	orchestra
panākumi	success
parters	pit
partitūra	score
pavadījums	accompaniment
pianists	pianist
pirmizrāde	premiere; first night
priekškars	curtain
publika	public; audience
programma	programme
rampa	footlights
repertuārs	repertoire
režisors	director
rinda	row
sacerēt mūziku	compose music
scenārijs	film script; scenario
sezonas atklāšana	opening of the season
simfonija	symphony
skaņa	sound
skatuve	stage
sludinājums	announcement

solists	soloist
teātris	theatre
tēlotāju sastāvs	cast
tēls	character
titrs	subtitle
titulloma	title-role; main part
traģēdija	tragedy
translācija	broadcast
trupa	company; troupe
uzvedums	staging
vidusmēra	mediocre
viesizrāde	guest performance
vieta	place, seat
vietu ierādītājs	usher
vijole	violin
zvans	bell

PASTS, TELEGRĀFS, TELEFONS

Pastā, telegrāfā

Kur atrodas pasts (telegrāfs)?

No cikiem un līdz cikiem pasts (telegrāfs) atvērts?

Kur, lūdzu, atrodas tuvākā pastkastīte?
Kur pieņem telegrammas (ierakstītas vēstules, bandroles)?
Kur, lūdzu, ir veidlapas?

Kur pārdod vēstuļpapīru (pastmarkas)?
Man, lūdzu, marku (aviovēstules aploksni, pasta pārveduma veidlapu)!
Cik maksā marka (avio vēstulei uz Latviju?

Es gribētu nosūtīt apdrošinātu bandroli (pasta sūtījumu).

POST OFFICE, TELEGRAPH, TELEPHONE

At the Post Office, at the Telegraph Office

Where's (where can I find) the post office (the telegraph office)?
What are the working hours for the post office (telegraph office)?
Where's the nearest post box (mail box)?
Where do they accept telegrams (registered letters, printed matter)?
Where are the forms, please?
Where's stationary (postage stamps) sold?
Please, give me a stamp (an airmail letter envelope, a postal order form).
How much is the postage for a letter (an airmail-letter) to Latvia?
I'd like to send registered printed matter (a parcel).

Cik man jāmaksā, lūdzu?	How much do I pay, please?
Kad to saņems?	When will this arrive?
Kur es varētu saņemt vēstules pēc pieprasījuma?	Where can I pick up letters sent by poste restante (general delivery)?
Vai man ir kāda vēstule?	Are there any letters for me?
Jūsu pasi, lūdzu!	Your passport, please.
Pārsūtiet man vēstules uz šo adresi, lūdzu!	Please, have my letters sent to this address.
Es gribētu nosūtīt parastu (steidzamu, starptautisku) telegrammu uz Rīgu (Maskavu, Parīzi).	I'd like to send a regular (an express, an international) telegram to Riga (Moscow, Paris).
Dodiet man, lūdzu, telegrammas veidlapu!	Give me a telegram blank, please.
Lūdzu, uzrakstiet precīzu nosūtītāja adresi!	Please write the correct address of the sender.
Cik jāmaksā par vienu vārdu?	How much is one word?
Kad telegramma tiks piegādāta?	When will the telegram be delivered?
Adrese uz aploksnes ir uzrakstīta nepareizi.	The address on the envelope is written uncorrectly.
Saņēmēja uzvārds jāraksta sākumā.	The receiver's name should be written on the top.

Adrese

Cien. Džonam Grīnam
Parka avēnijā 250
Londonā W1 6PE
Apvienotā Karaliste

Address

Mr John Green
250 Park Avenue
London W1 6PE
United Kingdom

Uzruna un nobeiguma frāzes vēstulē

The Salutation and Complimentary Close in Letters

Godātais kungs!
Cienījamā kundze/jaun-
kundze!
Godātais mister Braun!
Kungi!
Dārgais Fred!
Dārgā Helēna!
Mīļo krusttēv!
Patiesi jūsu (ar cieņu), ...

Dear Sir!
Dear Madam!

Dear Mr Brown!
Gentlemen!
Dear Fred!
Dear Helen!
Dear Uncle!
Yours very truly, ...
Yours sincerely, ...
Sincerely yours, ...
Faithfully yours, ...
Yours cordially, ...
Most cordially yours, ...

Ar mīļu sveicienu, ...
Tava mīlošā māsa, ...

With love, ...
Your loving sister, ...

Telefons

Telephone

No kurienes es varētu
piezvanīt?
Vai drīkstu pazvanīt pa
jūsu telefonu?
Vai tas ir jūsu (viņas, vi-
ņa) mājas (darba) te-
lefons?
Vai jūs man, lūdzu, ne-
pateiktu Londonas
(Madrides) kodu?
Kāds numurs man jāuz-
griež?

From where can I make
a call?
May I use your phone?

Is that your (his, her)
home (office) phone?

Would you please tell me
the area code for Lon-
don (Madrid), please?
What number should
I dial?

Kāds, lūdzu, ir jūsu telefona numurs?

What's your phone number, please?

Lūdzu, kā es varētu piezvanīt uz pilsētas (viesnīcas) uzziņu biroju?

How can I call the city information (the hotel information) bureau, please?

Hallo, vai tā ir telefona centrāle?

Hello, is this the telephone exchange?

Vai šī, lūdzu, ir starptautiskā centrāle?

Is this the trunk-call/international (long distance) operator?

Es gribētu pieteikt sarunu ar Rīgu (Ņujorku, Minheni) uz ... no rīta (vakarā).

I'd like to place a call to Riga (New York, Munich) for ... a.m. (p.m.).

Cik maksā viena minūte (trīs minūtes)?

How much does one minute (do three minutes) cost?

Uzgrieziet, lūdzu, man šo numuru: ...

Please dial this number: ...

Numurs Rīgā (Ņujorkā, Minhenē) ir (562774).

The number in Riga (New York, Munich) is five six two seven seven four).

Mans numurs ir: ...

My number is: ...

Savienojiet, lūdzu, mani ar pilsētu!

Give me an outside line, please.

Es gribu piezvanīt uz numuru ...

The number I want to call is ...

Man, lūdzu, šo numuru (iekšējā telefona numuru)!

Give me this number (extension), please.

Līnija ir aizņemta.

The line is busy.

Līnija ir bojāta.

The line is damaged.

Telefons nestrādā.

The phone is out of order.

Es vēlētos atsaukt pasūtījumu.

I'd like to cancel my order.

Es runāšu no savas ista-
bas.

I'll use the phone in my
room.

Runājiet, lūdzu!

Go ahead, please!

Hallo! Šeit runā ...

Hello! This is ...

Kas runā, lūdzu?

Who's speaking, please?

Vai varētu lūgt ... kungu?

May I speak to Mister ...?

Klausos!

Speaking.

Hallo, sakiet lūdzu, vai
misters N. šodien ir
darbā?

Hello, is Mr N. in the of-
fice today, please?

Vienu mirklīti. Es tūdaļ
viņu palūgšu pie apa-
rāta.

Just a moment, please. I'll
put him (her) on.

Uzgaidiet pie aparāta, lū-
dzu!

Hold on, please!

Nenolieciet klausuli, lū-
dzu!

Don't hang up, please!

Lūdzu, uzgaidiet!

Hold the line, please!

Jūs lūdz pie telefona.

The telephone call is for
you.

Runājiet skaļāk, lūdzu!
Es jūs slikti dzirdu.

Please speak more loudly.
I cannot hear you well.

Atkārtojiet, lūdzu!

Would you please repeat
that?

Nolieciet klausuli un pie-
zvaniet vēlreiz, lūdzu!

Please hang up and call
again.

Mūs atvienoja.

We were disconnected.

Mani nepareizi savienoja.

I reached the wrong num-
ber.

Jūs kļūdījāties, uzgriežot
numuru.

You have the wrong num-
ber.

Atvainojiet, vai tas ir nu-
murs: ...?

Excuse me, is this ...?

Atvainojiet, viņa (viņas)
pašlaik nav. Ko pa-
teikt, lūdzu?

I'm sorry, he (she) is not
here just now. Will there
be any message?

Pasakiet, lūdzu, ka zvanīja N.	Please say that N. called.
Es piezvanīšu vēlāk.	I'll call back later.
Palūdziet N. kungu man piezvanīt!	Ask Mr N. to call me.
Lūdzu, pierakstiet manu telefonu!	Please write down my number.
Kur šeit, lūdzu, būtu telefons (telefona automāts)?	Where can I find a pay phone (phone booth)?
Kā jāzvana pa šo telefona automātu?	How does one use this phone?
Lūdzu, samainiet man sīknaudu telefonam!	Please give me change for the phone.
Lūdzu, iedodiet telefona abonentu sarakstu!	Would you give me the telephone directory (telephone book), please.

abonenta izsaukuma signāls	ringing tone
adresāts, pieņēmējs	addressee, recipient
adrese	address
aizņemts	busy, engaged
aizpildīt veidlapu	fill in a form
apdrošināta bandrole	registered book post, printed matter
aploksne	envelope
apsveikuma kartīte	greeting card
apsveikuma telegramma	greeting (congratulation) telegram
atklātne	postcard
atpakaļadrese	return address
atvienot	break a connection
automātiskā līnija	automatic line
aviopasts	airmail
aviovēstule	airmail letter
centrāles signāls	dial tone

ciparripa	dial
darba telefons	business (office) phone
iekšējais telefons	inside line
ierakstīta vēstule	registered letter
iesaiņot	pack up, wrap
izrakstīt kvīti	write a receipt
izsaukums	call
kabīne	booth
klausule	receiver, handset
kvīts	receipt
līnija	line
maksāt	pay
marka	stamp
mājas telefons	home phone
nolikt klausuli	hang up
nosūtītājs	sender
palūgt pie telefona	call to the telephone
paņemt klausuli	answer a telephone
papildnumurs	extension
parakstīties	sign
pasta nodaļa	post office
pasta pārvedums	postal order, money order
pastkastīte	post box; mailbox
pasūtīt telefonsarunu	place a (telephone) call
pazemināts tarifs	reduced rate
pēc pieprasījuma	poste restante; general delivery
ārpilsētas telefons	outside line
runāt pa telefonu	talk on the telephone
sakari	communication
saņēmējs	recipient
saņemt pēc pilnvaras	receive by proxy
savienot	connect
signāls «iemetiet monētu»	pay tone
signāls «numurs aizņemts»	engaged tone
signāls «numurs bojāts» vai «numurs atvienots»	number unobtainable tone

starptautiskie automātiskie telefona sakari — international direct dialing

starptautiska telefona saruna — international telephone call

starppilsētu telefona centrāle — trunk-call station, long distance station

starptautiskā telefona centrāle — international telephone bureau

sūtījums — package

sūtīt ierakstītu — send by registered mail

sūtīt pa pastu — send by post, mail

telefona abonentu saraksts — telephone directory, telephone book

telefona aparāts — telephone

telefona automāts — pay phone, call box, telephone booth

telefona centrāle — (telephone) exchange, operator service

telefona kabīne — telephone booth

telefona numurs — telephone number

telefona saruna — telephone conversation

telefonists — operator

telegrafēt — telegraph

telegramma — telegram; night letter telegram*

telegrammas veidlapa — telegram blank

teletaips — teletype

uzgriezt numuru — dial a number

uzziņu dienests — information service

uzlīmēt marku — put on a stamp

uzrakstīt adresi — write an address

vēstule — letter

visu nakti — around the clock

zvanīt pa telefonu — make a call, telephone

zvans — ring

---

*) Telegramma par pazeminātu apmaksu, to pieņem ar noteikumu piegādāt adresātam ne vēlāk kā nākošās dienas rītā.

ZINĀTNE, IZGLĪTĪBA

SCIENCE, EDUCATION

Zinātne

Science

Kādi pētījumi notiek jūsu universitātē (institūtā, koledžā)?

Kādus pētījumu virzienus jūs uzskatāt par visperspektīvākajiem?

Kas ir šī izgudrojuma autors?

Kas ierosināja šo ideju?

Vai jums ir pazīstami N. darbi sociolingvistikā?

Kam pieder autortiesības?

Es interesējos par ... problēmu.

Vai ar šo problēmu nodarbojas jūsu institūtā?

Kā šī eksperimenta (pētījuma) rezultāti saskan ar teoriju?

Kādus rezultātus (datus) jūs ieguvāt?

Kāda ir jūsu attieksme pret šo teoriju?

Kāds ir jūsu viedoklis par šo problēmu?

What research is being done in your university (institute, college)?

What lines of research do you consider most promising?

To whom does this discovery belong?

Who originated the idea?

Are you familiar with the work of N. on sociolinguistics?

Who holds the copyright?

I'm interested in the problem of ...

Is this problem being studied in your institute?

How do the results of this experiment (investigation) agree with the theory?

What results (data) did you get?

What's your stand on this theory?

What's your view on this problem?

Kāds ir jūsu zinātniskais grāds?

What degree do you hold?

Esmu doktors (maģistrs, bakalaurs).

I've a Ph.D. (Master's degree, Bachelor's degree).

Esmu tehnisko zinātņu doktors.

I'm a Doctor of Technology.

Esmu profesors (docents, katedras vadītājs).

I'm a professor (assistant professor, head of department).

Esmu Latvijas Zinātņu akadēmijas (Britu Akadēmijas, Karaliskās Biedrības) loceklis.

I'm a member of the Latvian Academy of Sciences (the British Academy, the Royal Society).

Kad jūs aizstāvēsit disertāciju?

When will you defend your thesis?

Kāda ir jūsu disertācijas tēma?

What's your thesis topic?

Manas disertācijas tēma ir par ...

My thesis is about ...

Kādu kursu jūs pasniedzat?

What course do you teach?

Es lasu lekcijas valodniecības vēsturē (matemātiskajā analīzē).

I lecture on the history of linguistics (mathematical analysis).

Izglītība

Education

Mani (mūs) interesē jūsu valsts izglītības sistēma.

I (we) am (are) interested in the system of education in your country.

Cik gados var iegūt vidējo (augstāko, tehnisko) izglītību?

How many years does it take to obtain a secondary (higher, technical) education?

Kad sākas (beidzas) mācības skolās (koledžās, universitātēs)?

When does the academic year begin (end) in schools (colleges, universities)?

Kāda ir mācību maksa?

What's the tuition?

Kas var studēt bez maksas?

Who can study free of charge?

Kādā vecumā bērni sāk apmeklēt skolu?

At what age do children begin school?

Kad sākās eksāmeni (brīvdienas)?

When do the examinations (holidays) begin?

Cik garas ir brīvdienas?

How long are the holidays?

Kur (kā) jūsu bērni pavada brīvdienas?

Where (how) do your children spend their holidays?

Kādi ir universitātes (koledžas) uzņemšanas noteikumi?

What are the admission requirements for the university (college)?

Kādi eksāmeni jāliek, stājoties universitātē?

What admission examinations are necessary to be admitted to the university take?

Vai šī ir lauksaimniecības (mūzikas, medicīnas) koledža?

Is this an agricultural (musical, medical) college?

Kādas fakultātes ir šajā koledžā (universitātē)?

What departments does this college (university) have?

Kādus speciālistus gatavo šī koledža (universitāte)?

What specializations does this college (university) offer?

Vai studenti saņem stipendiju?

Do students receive scholarships?

Vai jums ir ārzemju studenti?

Do you have any foreign students?

Kā studenti pavada brīvo laiku?

How do the students spend their leisure time?

Kādi priekšmeti ir kursa programmā? — What subjects are included in the course of study?

Vai jums ir vakara (ne-klātienes) nodaļa? — Do you have night-school (correspondence) courses?

Vai jums ir maģistratūra (doktorantūra)? — Do you have a (post-)graduate school?

Mēs gribētu apmeklēt universitāti (studentu kopmītni, internātskolu, skolu). — We'd like to visit a university (a student hall of residence, boarding school, school).

Mēs gribētu tikties ar fakultātes pasniedzējiem (profesoriem, studentiem). — We'd like to meet teachers (professors, students) from the faculty.

Cik šajā skolā (klasē) ir skolēnu? — How many students are there in this school (class)?

Kur jūs studējat? — Where do you study?

Es mācos universitātes bioloģijas fakultātes otrajā kursā. — I'm a second year student at the university; my major is biology.

Kādu mācību iestādi jūs esat beidzis? — What college, university did you graduate from?

Esmu beidzis universitāti (tehnikumu). — I've graduated from a university (a technical college).

Kādas augstākās mācību iestādes ir jūsu pilsētā? — What establishments of higher education are there in your city?

abiturients, absolvents — graduate
akadēmija — academy
akadēmiķis — academician
analizēt — analyze
apkārtējā vide — environment

apkārtējās vides aizsardzība	environment protection
apkopot	summarize
apmācība	instruction
apstrādāt datus	process data
arodskola	trade (vocational) school
asistents augstskolā	junior lecturer
maģistrants (doktorants)	post-graduate student
maģistratūra (doktorantūra)	post-graduate study
atklājums	discovery
atomenerģija	atomic energy
auditorija (telpa)	lecture-hall; lecture room
auditorija (klausītāji)	audience
audzinātāja (klases)	educator; tutoress (form-mistress)
audzinātājs (klases)	educator, tutor (form-master)
augstākā mācību iestāde	higher educational institution
autortiesības	copyright
bakalaura grāds	bachelor's degree
bakalaurs	bachelor
bioķīmija	biochemistry
bioloģija	biology
bionika	bionics
botānika	botany
brīvdienas	holidays
dabaszinātnes	natural sciences
dekanāts	dean's office
dekāns	dean
demogrāfija	demography
diploms	diploma
direktors	director
disertācija	dissertation, thesis
docents	reader, assistant professor
doktora grāds	doctor's degree
efekts	effect
ekoloģija	ecology
ekoloģiskais līdzsvars	ecological balance
ekonomika	economics

eksaktās zinātnes	exact sciences
eksāmens	examination
eksāmenu sesija	examination period
eksperiments	experiment
enerģētika	power engineering
fakultāte	faculty; department
filoloģija	philology
filozofija	philosophy
fizika	physics
formula	formula
fundamentālie pētījumi	basic research
funkcija	function
gatavības apliecība	General Certificate of Education
ģeogrāfija	geography
humanitārās zinātnes	the humanities
iegūt datus	obtain data
iestājeksāmens	entry examination
institūts	institute
internātskola	boarding school
izglītība	education
izglītības sistēma	system of education
izgudrojums	invention
kanclers (*Lielbritānijā formālais universitātes vadītājs*)	chancellor
katedra	department
katedras vadītājs	head of a department
klase (skolā)	class; form; grade
— (telpa)	classroom
kodolfizika	nuclear physics
koledža	college
kolokvijs	tutorial
korespondētājloceklis	associate, corresponding member
kosmiskais lidojums	space flight
kosmiskās telpas apgūšana	mastery of space
kosmonautika	space sciences

kursi	courses; college; school
ķīmija	chemistry
laboratorija	laboratory; lab
lekcija	lecture
lasīt lekcijas	lecture
lektors	lecturer
mācības	study; training; instruction
mācību gads	academic year, school year
mācību grāmata	text-book
— iestāde	institution of learning
— maksa	tuition fee
— programma (universitātē)	curriculum
— spēki	the teaching staff
mācīt	teach
mācīties	study
maģistra grāds	master's degree
maģistrs	master
matemātika	mathematics
medicīna	medicine
metode	method
mūsdienu tendence	modern trend
mūsdienu teorija	modern theory
neklātienes nodaļa	correspondence department
novērojumi	observations
novērojumu rezultāts	result of obervations
novērot	observe
onkoloģija	cancer treatment; oncology
pamatojums	substantion
pamatot	substantiate
parādība	phenomenon
pasniedzējs	lecturer, teacher, instructor
pasniegt	teach
pedagoģija	pedagogy
pētījums	research
pētīt	study, research
pētniecības darbs	research work

pētniecības darbs pēc dok-
tora grāda iegūšanas — post-doctoral research

pētnieks — researcher

pielietojamās zinātnes — applied sciences

prakse — practice, experience

problēma — problem

  atrisināt problēmu — solve a problem

  saskarties ar problēmu — run into a problem

profesionāli tehniskā apmā-
cība — professional and technical
training

profesors — professor

prorektors — assistant head (of a university)

psiholoģija — psychology

publikācija — publication

referāts — synopsis

rektors — rector; vice-chancellor

semestris — term, semester

seminārs — seminar

simpozijs — symposium

skolnieks — (secondary school) student,
pupil

— jaunākajās klasēs — schoolboy, schoolgirl

skolotājs — teacher

socioloģija — sociology

stipendija — scholarship

students — student

studentu kopmītne — student's hall of residence

stunda (mācību) — lesson, class

stundu saraksts — time-table, schedule

tautas universitāte — open university

tehnikums — technical college

teorētiķis — theoretician

teorija — theory

universitāte — university

vakara nodaļa — evening department

vakarskola — evening classes (school); night
classes (school)

valsts eksāmens	**final/degree examination**
vēsture	**history**
vidusskola	**high school**
vispārinājums	**generalization**
vispārizglītojošie priekšmeti	**general-education subjects**
zinātne	**science**
zinātnes nozare	**field of science**
zinātnieks	**scholar; scientist**
zinātniskā biedrība	**learned society**
zinātniskais darbs	**academic work**
zinātniskais grāds	**academic degree**
zinātniski pētnieciskais institūts	**research institute**
Zinātņu akadēmijas (īstenais) loceklis	**(full) Member of the Academy of Sciences**
zinātņu doktors	**Doctor of Science; Ph.D.**

120

LIETIŠĶAS SARUNAS

Sēdes, konferences

REĢISTRĀCIJAS BIROJĀ

Kur, lūdzu, atrodas reģistrācijas birojs (dokumentu pavairošanas birojs, tulkošanas birojs, mašīnrakstīšanas birojs, informācijas birojs, preses centrs)?
... stāvā.
Kāds ir reģistrācijas biroja darba laiks?
Es aizsūtīju (reģistrācijas) iemaksu pa pastu (telegrāfiski).
Te ir mana naudas pārveduma kvīts kopija.
Lūdzu, dodiet man kvīti!
Vai es varētu apmaksāt (reģistrācijas) iemaksu tūristu čekos?
Mani atbrīvoja no (reģistrācijas) maksas.
Vai jums ir ielūgumi uz pieņemšanu (koncertu, kokteiļu vakaru)?

BUSINESS TALKS

Meetings, Conferences

AT THE REGISTRATION DESK

Where's the registration desk (copy service, translating service, typing pool, information bureau, press centre), please?

On the ... floor.
What are the hours of the registration desk?
I sent my (registration) fee by mail (telegraph).

Here's a copy of my payment order.
Give me a receipt, please.
May I pay the (registration) fee with travellers cheques?

I've been exempted from the (registration) fee.
Do you have invitation to the reception (concert, cocktail party)?

Man nav dalībnieku saraksta.

Kur, lūdzu, varētu saņemt preses biļetenu (radioaustiņas)?

Kad notiks konferences atklāšana (slēgšana)?

Kad (kur) notiks diskusija pie apaļā galda (sēde, plenārsēde)?

Kad (kur) notiks mērķgrupas (darba grupas, apakškomitejas, redakcijas komitejas) sēde?

Kur es varētu sastapt (nozares) sekcijas (tehniskās komitejas, speciālās komitejas) priekšsēdētāju?

Es vēlētos, lai šo dokumentu pārraksta ar rakstāmmašīnu.

Man vajadzīgi piecdesmit (simts) eksemplāri.

Kāds ir dalībnieku (delegātu) kopskaits?

Kāda ir konferences saviesīgā daļa?

I don't have a list of participants.

Where do I pick up the press bulletin (earphones), please.

When is the opening (closing) of the conference?

When (where) will the round-table discussion (the session, the plenary session) take place?

When (where) will the task force (working group, subcommittee, editorial committee) meet?

Where can I find the chairman of the (industry) section (the technical committee, the ad hoc committee)?

I would like this document typed.

I need fifty (hundred) copies.

How many participants (delegates) are there?

What are the social events?

Referāts

Kādas ir konferences valodas?

Report

What are the working languages at the conference?

Vai būs sinhrons (secīgs) tulkojums latviešu (krievu) valodā?

Will there be simultaneous (sequential) translation into Latvian (Russian)?

Kurš ir sapulces (sesijas) priekšsēdētājs?

Who's the chairman of the meeting (session)?

Kad (kur) notiks referentu informēšana?

When (where) will be the speakers briefed?

Kāds ir uzstāšanās reglaments?

What's the time limit for speeches?

Cik laika atvēlēts diskusijām?

How much time is set aside for discussion?

Vai jautājumi jāuzdod mutiski (rakstiski)?

Should questions be made orally (in written form)?

Es lasīšu referātu latviešu (krievu, angļu, vācu, franču, spāņu) valodā.

I'll be making a report in Latvian (Russian, English, German, French, Spanish).

Kas uzstājas pašlaik?

Who's speaking now?

Kas ir nākošais runātājs?

Who's the next to report?

Vai jūs uzstāsieties?

Are you going to make a report?

Kāda ir jūsu referāta tēma?

What's the topic of your report?

Kādā valodā jūs uzstāsieties?

What language will you be speaking in?

Kādi ir jūsu iespaidi par referātu (debatēm)?

What do you think of this report (discussion)?

Sēde

Meeting

Vai jūs piedalīsities šajā sēdē?

Will you be taking part in this meeting?

Kādas valstis tiks pārstāvētas šajā sēdē?

What countries will be represented at this meeting?

Kādu organizāciju (firmu) jūs pārstāvat?

What organization (company, firm) do you represent?

Es pārstāvu zinātniskās pētniecības institūtu (... ministriju, ārējās tirdzniecības apvienību, zinātnes un tehnikas biedrību, starptautisko ... organizāciju).

I represent a research institute (the ministry of ..., a foreign-trade association, a scientific and technical society, an international ... organization).

Vai šis jautājums (dokuments) tika apspriests agrāk (iepriekšējā sēdē)?

Has this question (document) been discussed earlier (at a preceeding meeting)?

Mēs esam (neesam) saņēmuši šo dokumentu.

We have (haven't) received this document.

Mēs saņēmām šo dokumentu par vēlu.

We received this document too late.

Priekšsēdētāja kungs (kundze), es lūdzu vārdu!

Mr Chairman (Madam Chairman)! I'd like to speak.

Man nav iebildumu (jautājumu, papildinājumu).

I've no comments (questions, I've nothing to add).

Esmu (neesmu) vienisprātis ar šādu jautājuma nostādni (piedāvāto redakciju, procedūru).

I'm (not) of the same opinion with this formulation of the question (the proposed wording, procedure).

Atļaujiet man turpināt, lūdzu!

Please allow me to continue.

Es gribētu uzdot jautājumu (papildināt, ierosināt, izdarīt labojumu).

I'd like to ask a question (to make a comment, to make a suggestion, to make an amendment).

Tas ir mans personiskais viedoklis.

This is my personal opinion.

Ierosinu apstiprināt šo dienas kārtību (izslēgt šo jautājumu no dienas kārtības, atrisināt šo jautājumu sarakstes ceļā, apspriest šo dokumentu nākamajā sēdē vai savās organizācijās).

I suggest that the agenda be adopted (this item be dropped from the agenda, this question be resolved through correspondence, this document be discussed at the next session or in the appropriate organizations).

Ierosinu izdarīt ekspertīzi (pieprasīt ekspertu viedokli, atrisināt šo jautājumu darba kārtībā).

I suggest that an examination be made (the opinion of experts be consulted, this question be resolved as a matter of routine procedure).

Lūdzu nolasīt rezolūciju (galaslēdzienu).

I request that the resolution (the final decision) be read aloud.

Kāda ir balsošanas procedūra?

What's the voting procedure?

Vai balsošana būs slepena (atklāta, par visu sarakstu, par katru kandidātu atsevišķi)?

Will the balloting be secret (open, by roll call, for a single candidate)?

Kad būs pārtraukums?

When will the recess be?

Mēs šo jautājumu varētu apspriest pārtraukuma laikā (vestibilā, pusdienu laikā, vēlāk).

We could discuss this question during the recess (in the hall, over lunch, later).

Organizācijas, sadarbība

Organizations, Co-operation

Kādi ir šīs (starptautiskās) organizācijas mērķi?

What are the objectives of this (international) organization?

Ar kādām problēmām šī organizācija nodarbojas?

What sort of problems does this organization deal with?

Kas ir jūsu (šīs) organizācijas prezidents?

Who's the president of your (this) organization?

Cik liels ir šīs (jūsu) organizācijas sastāvs?

How many members does this (your) organization have?

Kur atrodas šīs (jūsu) organizācijas galvenā pārvalde?

Where's the head-quarters of your (this) organization?

Cik lielas ir jūsu organizācijas biedru naudas?

What membership dues does your organization charge?

Kāds ir šīs organizācijas budžets?

What's the budget of this organization?

Kāda ir šīs tehniskās komitejas darbības sfēra?

What are the terms of reference of this technical committee?

Kas vada šīs darba grupas (apakšgrupas) sekretariātu?

Who runs the secretariat of this working group (subcommittee)?

Ar kādām starptautiskām (reģionālām) organizācijām jūs uzturat sakarus?

With what international (regional) organizations do you maintain contacts?

Kādā gadā notika pēdējā konference par šo problēmu?

What year was the last conference on this problem held?

Kad (kur) notiks nākošā konference (Ģenerālā asambleja, simpozijs, seminārs, kolokvijs)?

When (where) will the next conference (General Assembly, symposium, seminar, colloquium) be?

Es gribētu iepazīties ar šīs organizācijas Statūtiem (Protokolu).

I'd like to acquaint myself with the Constitution (By-laws) of this organization.

Divpusējā sadarbība

Bilateral Co-operation

Kāda ir galīgā vizītes programma?

What's the final itinerary?

Mēs piekrītam piedāvātajai uzturēšanās programmai.

We agree to the proposed program for the visit.

Mēs gribētu apmeklēt zinātniskās pētniecības centru (firmu, laboratoriju).

We'd like to visit the research centre (company, laboratory).

Mēs gribētu iepazīties ar cauruļu (automobiļu, dzinēju) ražošanu.

We'd like to learn about the production of pipes (automobiles, engines).

Ierosinām apspriest sadarbības iespējamās jomas un formas (darba plānus, protokola projektu, kontraktu noteikumus, nomenklatūru, piegāžu un savstarpējo komandējumu termiņus).

We'd like to discuss possible areas and forms of co-operation (working plans, the draft of the minutes, the conditions of the contract, the catalogue, the dates for deliveries and for reciprocal business visits).

Mūsu pozīcija izteikta vēstulē (memorandā, dokumentā Nr. ...).

Our position is set forth in the letter (memorandum, document Nr. ...).

Kurš no jūsu puses būs sadarbības koordinators (atbildīgais par šo tēmu)?

Who'll be the coordinator for joint operations (the executive in charge of this area) from your side?

Kad jūs varēsiet dot galīgo atbildi?

When can you give a final answer?

Kad jūs varēsiet nodot mums paraugus (dokumentāciju, eksperimentu rezultātus)?

When can you give us the samples (documentation, test results)?

Kādi ir aparātu (ierīču, rezerves daļu) piegādes termiņi?

What are the dates for delivery of instruments (equipment, spare parts)?

Ierosinām veikt piegādes pa dzelzceļu (ar autotransportu, ar kuģi, ar lidmašīnu).

We suggest delivery by rail (truck, ship, air).

Kāds ir pēdējais termiņš ierosinājuma iesniegšanai (darba beigšanai, objekta nodošanai ekspluatācijā)?

What's the deadline for presenting suggestions (finishing work, commissioning)?

Mēs jums varētu piešķirt (ilgtermiņa) kredītu (aizdevumu, maksājuma termiņa pagarināšanu).

We could give you a (long-term) credit (a loan, a moratorium).

Cik liela ir summa , ko piešķir dienas (transporta, īres) izdevumiem?

How much is the per diem (transportation allowance, accommodation allowance)?

Kad (kur) notiks sēdes protokola (sadarbības līguma, kontrakta) parakstīšana?

When (where) will the record of the meeting (agreement on co-operation, contract) be signed?

Atļaujiet pateikties jums par sirsnīgo uzņemšanu (viesmīlību, lieliski organizēto sēdi).

We'd like to thank you for the warm reception (your hospitality, an excellently organized session).

Tehniskās izstādes, gadatirgus, firmas, uzņēmuma apmeklējums

Visiting a Technical Exhibitions, Fairs, Company, Enterprise

Mēs gribētu apskatīt izstādi (gadatirgu).

We'd like to see the exhibition (the fair).

Kāds ir izstādes (gadatirgus) darba laiks?

What are the hours for the exhibition (the fair)?

Kā nokļūt līdz izstādei (gadatirgum)?

How does one get to the exhibition (the fair)?

Cik maksā ieejas biļete (izstādes plāns)?

What's the price of one admission (a map of the exhibition)?

Divas (trīs) biļetes, lūdzu!

Two (three) tickets, please.

Mums nepieciešams gids.

We need a guide.

Cik par to jāmaksā?

How much will that cost?

Kāda ir izstādes kopplatība?

What's the total area of the exhibition?

Kas organizēja (iekārtoja) izstādi?

Who organized (set up) the exhibition?

Cik valstis piedalās?

How many countries are participating?

Kura ekspozīcija ir lielākā?

Whose exhibit is the largest?

Kāds ir dalībnieku kopskaits?

What's the total number of participants?

Vai šī izstāde darbojas pastāvīgi?

Is this a permanent exhibition?

Cik šeit ir paviljonu?

How many pavilions are there?

Kur atrodas galvenais paviljons?

Where's the main pavilion?

Mēs gribētu iepazīties ar izstādes plānu.

We'd like to acquaint ourselves with the layout of the exhibition.

Kur atrodas direkcija (preses centrs, informācijas birojs, komercbirojs)?
Kur atrodas firmas (kompānijas) N. stends?
Mūs interesē instrumenti (iekārtas, piederumi).

Vai varētu palūkoties uz šo mašīnu (aparātu, agregātu, ierīci) darbībā?

Kas ir projekta autors (konstruktors, izstādes inženieris)?
Ar kādu degvielu šī mašīna strādā?
Cik sver šī iekārta?

Kādi ir tās gabarīti?
Kāda ir tās jauda (enerģijas patēriņš, ražība)?
Kāds ir degvielas patēriņš?
Cik cilvēku apkalpo šo iekārtu?

Vai es varētu iepazīties ar tehniskajiem pamatraksturlielumiem, (ekspluatācijas instrukciju, lietošanas pamācību, rezerves daļu, instrumentu un palīgierīču sarakstu)?
Kam pieder patents?

Where's the directorate (the press centre, the information bureau, the commercial bureau)?
Where's the display of the N. Company?
We are interested in instruments (installations, equipment).
Would it be possible to see this machine (apparatus, assembly, device) in operation?
Who drew up the project (is the designer, is the development engineer)?
What does this machine run on?
How much does this installation weigh?
What are its dimensions?
What's its capacity (power consumption, output)?
How much fuel does it use?
How many persons are needed to operate this installation?
May I see its basic technical data (the operating instructions, the maintenance manual, the list of spare parts, tools and attachments)?

Who owns the patent?

Mēs gribētu iegādāties šo iekārtu (licenci).

We'd like to buy this equipment (licence).

Es vēlētos šo katalogu (prospektu).

I'd like to have this catalogue (prospectus).

Mēs gribētu apmeklēt tekstilfabriku (automobiļu rūpnīcu, konditorejas fabriku, metalurģisko uzņēmumu).

We'd like to visit a textile factory (an automobile factory, a candy factory, a metallurgical factory).

Mums gribētos redzēt galveno konveijeru (montāžas cehu, mehānisko cehu, lietuvi).

We'd like to see the main conveyer (assembly shop, machine shop, foundry).

Ko šis uzņēmums (cehs, iecirknis) ražo?

What does this plant (shop, section) produce?

Mūs interesē firmas pēdējās (perspektīvās) izstrādnes.

We are interested in the firm's latest (prospective) developments.

Vai tas ir firmas noslēpums?

Is that a company secret?

Vai tas ir firmas nosaukums?

Is that a trade name?

Kāda ir firmas zīme?

What's the trade mark?

Mēs gribētu parunāt ar direktoru (tehnisko direktoru, komercdirektoru, kvalitātes kontroles dienesta pārvaldnieku, ceha priekšnieku, strādniekiem).

We'd like to talk with the director (technical director, commercial director, quality control manager, foreman of the shop, workers).

Kurš ir firmas (uzņēmuma) īpašnieks?

Who owns this firm (plant)?

Kas ir prezidents (ģenerāldirektors)?

Who's the president (general director)?

Kurā gadā dibināta jūsu kompānija (firma)?

What year was your company (firm) founded in?

Kad uzcelta jūsu rūpnīca (fabrika)?

When was your plant (factory) built?

Kāds ir ekspluatācijas (derīguma, glabāšanas) laiks?

What's the service (serviceable, shelf) life?

Kāds ir brāķa procents?

What's the percent of rejects?

Kādi jauni modeļi (kādas konstrukcijas) tiek projektētas?

What new models (designs) are planned?

Kāds ir strādājošo kopskaits?

How many employees are there in all?

Kāda ir proporcija starp strādniekiem un inženiertehniskajiem darbiniekiem?

What's the ratio of workers to engineers and technicians?

Cik cilvēku tiek nodarbināti ražošanā (pamatoperācijās, palīgoperācijās, kontroloperācijās)?

How many people are engaged in production (basic operations, auxiliary operations, check-out operations)?

Cik liela ir ražošanas platība?

What's the working area?

Kādas izejvielas jūs izmantojat?

What raw materials do you use?

Kas ir jūsu (galvenais) piegādātājs (pasūtītājs)?

Who's your (main) supplier (buyer)?

Uz kādām valstīm jūs eksportējat savu produkciju?

What countries do you export to?

Vai firmai ir filiāles?

Does the firm have any branch plants?

Kāda ir jūsu darba apmaksas sistēma?

What's your pay system?

Vai jums ir stundu (gabaldarba) apmaksa?

Do you pay by the hour (the piece)?

Kāda ir inženiera (kalpo-
tāja, kvalificēta strād-
nieka, melnstrādnieka)
mēnešalga?

How much does an engin-
eer (a white-collar work-
er, a skilled worker, an
unskilled labourer) earn
in a month?

Kādu pabalstu strād-
nieks saņem slimības
gadījumā?

What's the amount of sick
pay a worker receives?

Vai jums ir apmaksāti at-
vaļinājumi?

Do you have paid vaca-
tions?

Cik ilgs ir atvaļinājums?

How much vacation time
are you given?

agregāts	unit
akreditīvs	letter of credit
apakškomiteja	subcommittee
apakšuzņēmējs	subcontractor
aparāts	apparatus
apmeklēt izstādi (fabriku)	visit an exhibition (a factory)
apstiprināt dienas kārtību	adopt the agenda
atbalstīt priekšlikumu	support a proposal
atbildīgais sekretārs	executive secretary
atsaukties uz ...	refer to ...
balsošanas biļetens	ballot
nederīgs —	ballot paper null and void
balsošanas procedūra	voting procedure
balsot par (pret)	vote for (against)
balsot vienbalsīgi	vote unanimously
bankets	banquet
cena	price
dalībnieks	participant
darbgalds	machine (machine-tool)
darba grupa	working group
darba kārtībā	as a matter of routine pro-cedure
darba modelis	working model
darbības raksturlielumi	performances

darbības sfēra	scope of activities
debates	debate, discussions
delegācija	delegation
diapozitīvs	slide
direkcija	management
diskusija	discussion
dizainers	designer
dizains	design
dokuments	document
izplatīt dokumentus	distribute documents
pavairot dokumentu	duplicate —
dokumentu pavairošanas birojs	copy service
dot vārdu	give the floor
ekonomiskā sadarbība	economic co-operation
eksperiments	experiment
ekspluatācijas laiks	service life
eksponāts	display
eksponents	exhibitor
eksportēt	export
eksports	export
ekspozīcija	layout
fabrika	factory
filiāle	branch enterprise
finansēt	finance
firma	firm
firmas nosaukums	trade name
— noslēpums	company secret
— zīme	trade mark
gabarīti	dimensions, size
gadatirgus	fair
galīgais termiņš	final date
garantijas laiks	warranty period
gids	guide
glabāšanas laiks	shelf life
iegūt (iekārtas, autortiesības utt.)	obtain (equipment, a copy right, etc.)

iekārta	equipment, outfit, installation
iekārtošana	arrangement
iekļaut dienas kārtībā	place on the agenda, include in the agenda
ielūgums	invitation
iemaksa	payment, fee, dues
iepirkt licenci	purchase a licence
ierīce	device
ierosināt labojumu	introduce an amendment (to...)
iesniegt priekšlikumu	make a proposal
importa (eksporta) apjoms	import (export) volume
importēt	import
imports	import
informācijas apmaiņa	exchange of information
informācijas birojs	information bureau
instruments *(darbarīks)*	instrument, tool
izmēģinājums	test, testing
izpētīt (izskatīt) dokumentu	study (consider) a document
izslēgt no dienas kārtības	remove from the agenda
izslēgt no protokola	strike from the record
izstādes (konferences) orga- nizētājs	organizer of an exhibition (a conference)
izstādes plāns	plan of an exhibition
izstāžu zāle	exhibition hall
izstrādnes inženieris	development engineer
izstrādne	development, working out, elaboration
izvirzīt kandidatūru	nominate
jauda	capacity
katalogs	catalogue
kolokvijs	colloquium
komercbirojs	commercial bureau
komiteja	committee
konference	conference
konferences programma	conference programme
konferences vieta	venue of a conference

konstrukcija	design
konstruktors	constructor, designer
konsultācija	consultation
krūšu nozīme	identity badge
kvalitāte	quality
lasīt referātu	make a report, deliver a paper
licence	licence
līguma (sadarbības) ietvaros	in the framework of an agreement (co-operation)
lūgt vārdu	ask for the floor
mehānisms	machinery, mechanism
mērķgrupa	task force
modelis	model
neoficiāli	unoficially
noraidīt priekšlikumu	turn down a proposal
noslēgt kontraktu (līgumu)	make a contract (conclude an agreement)
oficiālā valoda	official language
organizēt (izstādi, konferenci)	oraganize (an exhibition, a conference)
parakstīt līgumu (kontraktu)	sign an agreement (a contract)
paraugs	sample
pāriet pie nākošā jautājuma	proceed to the next question
partneris	partner
pasūtījums	order
paziņojums presei	press release
pētījums	research, investigation
piedalīties sarunās (sēdē, konferencē)	take part in negotiations (a meeting, a conference)
piegādātājs	supplier
pieņemšana	reception
pieņemt ielūgumu	accept an invitation
pievienot protokolam	append to the minutes
piezīme	remark
pilnvaru laiks	term of office
platība	area, space

plenārsēde	plenary session
preču sūtījums	shipment
prese	press
preses biļetens	press bulletin
preses centrs	press centre
produkcija	products, output
projekta autors	design engineer
projekts	plan
prospekts	prospectus
protokolēt	keep the minutes
ražīgums	productivity
ražošana	production
ražošanas apjoms	production volume
referāts	report, paper
referents	speaker
reglaments	time-limit
reģistrācija	registration
reģistrācijas iemaksa	registration fee
runātājs	speaker
sadarbība zinātnē un tehnikā	co-operation in science and technology
saņēmēja puse, saņēmējs	receiving side, receiver
sarakstes ceļā	by correspondence
sēde	meeting
vadīt sēdi	preside over a meeting
sēde par teorijas jautājumiem	session on theory
sēdes protokols	minutes of a meeting
sesija (sēde)	session
sēžu zāle	meeting hall
simpozijs	symposium
standarts	standard
starpnieks	mediator, intermediary
stends	stand
sūtītāja puse, sūtītājs	sending side, sender
tehnika	engineering
tehniskā apkalpe	servicing, maintenance
tehniskā dokumentācija	technical documentation

tehniskā palīdzība	technical assistance
tehnoloģija	technology, production process
tehnoloģijas nodošana	technology transfer
teikt runu	make a speech
tēma	theme, topic
teritorija	territory
tirdzniecība	trade
tirdzniecības delegācija	trade delegation
— līgums	— agreement
tulkojums	translation
tulkošanas birojs	translation service
tulkotājs *(rakstveidā)*	translator
tulks *(mutiski)*	interpreter
tulka kabīne	interpreter's booth
uzņēmēja valsts *(t.i. valsts, kas uzņem konferences, izstādes u. tml. dalībniekus)*	receiving country, host country
uzņēmējs	contractor
uzstāties sēdē	speak at a meeting
uzturēšanās programma	itinerary
uzturēt (darba) kontaktus	maintain (business) contacts
vest sarunas	conduct negotiations
vienošanās	agreement

138

MEDICĪNISKĀ PALĪDZĪBA

MEDICAL AID

Nejūtos labi (jūtos ļoti slikti).

I'm not well (I feel quite ill).

Lūdzu, izsauciet ārstu (ātro palīdzību)!

Please call a doctor (an ambulance).

Kā piezvanīt uz poliklīniku (slimnīcu)?

How do I call the clinic (hospital)?

Man vajadzīgs terapeits (acu ārsts, zobārsts).

May I see a general practitioner (an eye doctor, a dentist)?

Par ko jūs sūdzaties?

What do you complain of?

Esmu saaukstējies.

I've a cold.

Man ir temperatūra (klepus).

I've a temperature (a cough).

Es jūtu sāpes sirdī.

My heart is bothering me.

Man sāp kakls.

I've a sore throat.

Man sāp auss (galva, roka).

My ear (head, arm) aches.

Man sāp krūtīs.

I've chest pains.

Man sāp vēders.

I've a stomach-ache.

Man sāp sānos.

I've a pain in my side.

Man sāp mugura.

I've pains in my back.

Man sāp kāja.

My leg hurts.

Man ir alerģija pret smaržām (ziedputekšņiem).

I'm allergic to odours (pollon).

Man ir nelabi.

I'm nauseated.

Esmu iegriezis pirkstā.

I've cut my finger.

Es sasitu celi (plecu, muguru).

I injured my knee (shoulder, back).

Man kaut kas iekritis acī.

Something has got into my eye.

Vai esat slimojis ar bron-
hītu (tuberkulozi, plau-
šu karsoni)?
Es slimoju bieži (reti).

Lūdzu, izģērbieties!
Novelciet kreklu!
Pagriezieties!
Elpojiet!
Aizturiet elpu!
Ieklepojieties!
Atveriet muti!
Atgulieties!
Vai šeit jums sāp?
Atrotiet, lūdzu, piedurkni!

Mums jāizmeklē jūs un
jāizdara asinsanalīzes.
Kas man kaiš, dakter?

Jums ir paaugstināts
asinsspiediens.
Jums nepieciešama injek-
cija (masāža, operācija).
Jāuzliek bankas (kompre-
se).

Šīs zāles jums jādzer pa
vienam pulverim (di-
vām tabletēm, trim pi-
lieniem, ēdamkarotei)
trīsreiz dienā.
Zāles jums būs jādzer div-
reiz dienā pirms ēšanas
(pēc ēšanas, ēšanas lai-
kā, tukšā dūšā).

Have you been ill with
bronchitis (tuberculosis,
pneumonia)?
I frequently (seldom) fall
ill.

Undress, please.
Take off your shirt.
Turn around.
Breathe.
Hold your breath.
Give a cough.
Open your mouth.
Lie down.
Do you feel pain here?
Tuck up (turn back) your
sleeve, please.

We must examine you and
make a blood test.
What's wrong with me,
doctor?

You've got a high blood
pressure.
You need an injection
(massage, operation).
Cups should be applied
(compress should be
made).

This medicine you must
take one powder (two
tablets, three drops, one
spoonful) three times
a day.
You'll have to take this
medicine twice a day
before your meal (after
your meal, when eating,
on an empty stomach).

Jums vairāk jākustas.	You should get more exercise.
Jums būs jāievēro diēta (jāpaliek gultā).	You'll have to be on a diet (to stay in bed).
Es ievēroju diētu.	I'm on a diet.
Drīz būsit vesels.	You'll be well soon.
Vai tas ir kas nopietns?	Is it anything serious?
Vai tas ir bīstami?	Is it dangerous?
Kādu diētu man būtu jāievēro?	What diet should I follow?
Cik ilgi man būs jāguļ slimnīcā?	How long will I have to remain in hospital?
Kādas zāles jūs iesakāt?	What medicines do you recommend?
Lūdzu, izrakstiet recepti!	Please give me a prescription.
Te ir recepte!	Here's the prescription.
Kad man atkal atnākt pie jums?	When should I come back?
Cik man jums jāmaksā?	How much do I pay you?

ambulance	out-patient clinic (department)
ambulatoriska ārstēšana	out-patient treatment
ambulatorisks slimnieks	out-patient
analīze	analysis
aptieka	pharmacy (chemist's shop), drugstore
ārstēšana	treatment
asinsanalīze	blood test
ātrā palīdzība	first aid
ātrās palīdzības automašīna	ambulance
barība	food
diēta	diet
dzirde	hearing
elpošana	breathing
iešļircinājums	injection

kabinets (ārsta)	(doctor's) office
komprese	compress
medicīniskā apskate	medical check-up
nestuves	stretcher, litter
operācija	operation
pārsējs	bandage; (*brūces — arī*) dressing
poliklīnika	polyclinic
pote	inoculation
profilaktorijs	dispensary
(saslimšanas) profilakse	preventive medicine
pulss	pulse
redze	vision
sanitārlidmašīna	ambulance-plane
skalošana	gargle
slimnīca	hospital

Pie zobārsta

At the Dentist

Lūdzu, pārbaudiet man zobus!	Please check my teeth.
Man sāp zobs.	I've a tooth-ache.
Kurš zobs jums sāp?	Which is the tooth that aches?
Man uztūkušas (asiņo) smaganas.	I've a swollen gum (bleeding gums).
Man nolūzis zobs.	I've a broken tooth.
Lūdzu, aizplombējiet šo zobu (izraujiet šo zobu, nomieriniet sāpes)!	Please put in a filling (pull this tooth out, do something for the pain).
Man izkritusi plomba.	A filling has fallen out.
Kādu plombu jūs vēlaties?	What kind of filling would you like?
Es gribētu metāla (porcelāna, cementa) plombu.	I'd like a metal (porcelain, cement) filling.
Man salūzis kronītis.	A crown has broken.

Šim zobam jāuzliek kro-
nītis.

This tooth needs a crown.

Vai jūs varētu man salabot
protēzi (noņemt zob-
akmeni, uztaisīt tiltiņu)?

Could you fix my dental
plate (remove the tarter,
make a bridge for me)?

Aptiekā

In the Pharmacy

Kur šeit ir tuvākā aptieka?

Where's the nearest che-
mist's, drugstore?

Man vajadzētu zāles pēc
šīs receptes.

I need to have this pre-
scription filled.

Diemžēl šo zāļu mums
pašreiz nav.

Unfortunately, we don't
have this medicine at
the moment.

Dodiet man, lūdzu, kaut
ko pret galvassāpēm
(iesnām, klepu)!

Please give me something
for a headache (a cold,
a cough).

Dodiet man, lūdzu, kādas
miega zāles (plāksteri,
vati, termometru)!

Please give me some sleep-
ing pills (a plaster, some
cotton wool, a thermo-
meter).

Es gribētu kādu dezinficē-
jošu (nomierinošu, prett-
temperatūras) līdzekli.

I'd like to have a disin-
fectant (a tranquillizer,
something for a fever).

Dodiet man, lūdzu, kaut
ko kakla skalošanai!

Give me something to gar-
gle with, please.

Vai šīs zāles iespējams no-
pirkt bez receptes?

Can I buy this medicine
without a prescription?

Kad šīs zāles būs gatavas?

When will the medicine
be ready?

Kā lietot šīs zāles?

How should this medicine
be taken?

Tukšā dūšā?
Pēc ēšanas?

On an empty stomach?
After a meal?

Kādās devās šīs zāles jā-dzer?

What's the prescribed dose?

Kāda ir pieauguša cilvēka (bērna, zīdaiņa) deva?

What's the adult's (child's, infant's) dose?

Šīs zāles ir iekšķīgai (ārī-gai) lietošanai.

This medicine is for internal (external) use.

Cik reižu dienā šīs zāles jālieto?

How many times daily should this medicine be taken?

Optika

Optics

Man ir slikta redze.

My vision is poor.

Man ir īsredzība (tālredzī-ba, astigmatisms).

I'm near-sighted (far-sighted, I have astigmatism).

Kreisā acs ir −2, labā +1.

My left eye is −2, my right eye is +1.

Esmu sasitis brilles.

I've broken my glasses.

Man vajadzētu apmainīt stiklus.

I need to change the lens.

Man vajadzētu brilles ar tumšiem stikliem (ar dioptrijām).

I need glasses with smoked lenses (with diopters).

Man nepieciešams briļļu ietvars (bifokālie stikli, briļļu maks).

I need frames (bifocals, a glasses case).

Parādiet man, lūdzu, fir-mas ... brilles!

Please show me some ... glasses.

Es gribētu nopirkt metā-la (raga, apzeltītu) briļļu ietvaru.

I'd like to buy metal (horn, gold-plated) frames.

Man nepieciešamas cietās (mīkstās, gaisu caurlai-dīgās) kontaktlēcas.

I need hard (soft, gas permeable) lenses.

Parādiet man, lūdzu, kā-du lēcu tīrāmo līdzekli!

Please show me some lens cleaner.

Slimības un simptomi

Illnesses and Symptoms

aizcietējums	constipation
aizdusa	shortness of breath
alerģija	allergy
anēmija	anaemia
angīna	tonsillitis
apdegums, brūce	burn, scorch burn
apendicīts	appendicitis
apsaldējums	frost-bite
arteriālais spiediens	arterial pressure
artrīts	arthritis
asiņošana	bleeding
astma	asthma
audzējs	tumour
ļaundabīgs —	malignant —
labdabīgs —	benign (non-malignant) —
augonis	furuncle, abscess, boil
bakas	smallpox
bezmiegs	insomnia, sleeplessness
bronhīts	bronchitis
brūce	wound
caureja	diarrhoea
ciroze	cirrhosis
čūla	sore
diabēts	diabetes
difterija	diphteria
dizentērija	dysentery
drudzis	fever
dzeltenā kaite	jaundice
ēde	herpes
galvas reibonis	dizziness
galvassāpes	headache
garais klepus	hooping-cough, whooping-cough

gastrīts	**gastritis**
gripa	**influenza, flu**
ģībonis	**fainting**
iekaisums	**inflammation**
iesnas	**head cold**
ievainojums	**wound, hurt, injury**
infarkts	**infarct, heart attack**
infekcijas slimība	**infectious disease**
insults	**cerebral thrombosis, stroke**
īsredzība	**near-sightedness**
išiass	**sciatica**
izmežģījums	**dislocation**
izsitumi	**rash, eruption**
klepus	**cough**
krampji	**cramps, spasms, convulsions**
kuņģa čūla	**gastric ulcer**
kuņģa slimības	**gastric diseases**
lēkme	**fit, attack; paroxysm**
lūzums	**fracture**
malārija	**malaria**
masalas	**measles**
masaliņas	**German measles**
miežgrauds	**sty**
nelabums	**nausea**
nieze	**itch**
nobrāzums	**scratch, graze**
normāls spiediens	**normal blood pressure**
paātrināts pulss	**rapid pulse**
paaugstināta temperatūra	**high temperature**
paaugstināts asinsspiediens	**high blood pressure**
pārsējs	**dressing** *(brūcei);* **bandage**
pietūkums	**swelling**
plaušu karsonis	**pneumonia**
saaukstēšanās	**cold, chill**

saindēšanās	poisoning
saindēšanās ar pārtiku	food poisoning
samaņas zaudēšana	loss of consciousness
sāpes	pain
sāpes krustos	lower-back pain
sāpes krūtīs	chest pain
sāpes mugurā	back pain
sāpes sānos	pain in the side
sāpes vēderā	pain in abdomen
sarežģījums	complication
sasitums	contusion, bruise
sastiepums	strain, sprain
saules dūriens	sunstroke
sirdsklauves	palpitation of the heart
sirdslēkme	heart attack
skleroze	sclerosis
slimība	illness
smadzeņu satricinājums	concussion of the brain
spazma	spasm
staru slimība	radiation sickness
stinguma krampji (teta-nuss)	tetanus
svīšana	sweating
trauma	injury
tuberkuloze	tuberculosis
vējbakas	chicken-pox
vemšana	vomiting
vēzis	cancer
zobu sāpes	toothache

Medicīniskais personāls

Medical Personnel

acu ārsts	oculist
ārsts	doctor
feldšeris	doctor's assistant

galvenais ārsts	head doctor
ginekologs	gynaecologist
kardiologs	cardiologist
ķirurgs	surgeon
medicīnas māsa	nurse
neiropatologs	neuropathologist
onkologs	oncologist
ausu, kakla un deguna slimību speciālists	ear, nose and throat specialist
pediatrs	pediatrician
stomatologs	stomatologist
terapeits	general practitioner, therapeutist
urologs	urologist
zobārsts	dentist
zobu tehniķis	dental mechanic

Cilvēka ķermeņa daļas un svarīgākie orgāni

Body Parts and Principal Human Organs

acs	eye
āda	skin
aizkuņģa dziedzeris	pancreas
aknas	liver
artērija	artery
asinis	blood
asinsvads	blood-vessel
atslēgas kauls	clavicle, collar-bone
auss	ear
balsene	larynx
balss saites	vocal chords
barības vads	gullet
celis	knee
deguns	nose

delna	palm
deniņi	temple
diafragma	diaphragm
dibens	buttock
dziedzeris	gland
elkonis	elbow
galva	head
galvaskauss	skull
gurns	hip
iekšējie orgāni	internal organs
kāja	leg
kakls *(ķermeņa daļa)*	neck
kakls *(rīkle)*	throat
kauls	bone
krusti	small of the back
krūškurvis	thorax
krūtis	breast, chest
kuņģis	stomach
ķermenis	body
lāpstiņa	shoulder blade
locītava	joint
lūpa	lip
mēle	tongue
mugura	back
mugurkauls	spinal column, backbone, spine
muskulis	muscle
nieres	kidneys
pakausis	back of the head
pēda	foot
piere	forehead
pirksts	finger
kājas —	toe
plakstiņš	eyelid
plauksta	hand
plauša	lung
plecs	shoulder

potīte	ankle
roka	arm
riba	rib
sāni	side
sirds	heart
skriemelis	vertebra
smadzenes	brain
smaganas	gums
stilbs, stilbi	shin
urīnpūslis	bladder
vēders	abdomen, belly
vēna	vein
zarna	intestine
zobs (zobi)	tooth (teeth)
zods	chin
žoklis	jaw

SADZĪVES PAKALPOJUMI

EVERYDAY SERVICES

Frizētava

Hairdresser's. Barber's Shop

Vai viesnīcā ir vīriešu/sie-
viešu frizieris?

Does the hotel have bar-
ber, (men's) women's
hairdresser?

Kur ir vīriešu (sieviešu)
zāle?

Where's the men's
(women's) section?

Man jāapgriež mati.

I need a haircut.

Cik tas maksās?

How much will it cost?

Atvainojiet, es pārdomā-
ju.

Sorry, I've changed my
mind.

Vīriešu frizētavā

In the Barber's Shop

Lūdzu, apgrieziet man
matus īsākus (īsus, ne
pārāk īsus)!

Please cut my hair close
(short, not too short).

Lūdzu, nogrieziet īsākus
sānos (priekšpusē, aiz-
mugurē)!

Take some off the sides (at
the front, back), please.

Daudz īsākus negrieziet.

Don't cut too much more.

Es vēlētos noskūties.

I'd like a shave.

Vaigubārdu, lūdzu, īsāku
(taisnu, slīpu, līdz auss
ļipiņai).

Make the sideburns shor-
ter (straight, slanting,
ear-lobe level) please.

Celiņu, lūdzu, vidū (sā- | Make the parting in the
nos, labajā pusē, krei- | middle (at the side, on
sajā pusē)! | the right, on the left)
| please.

Apgrieziet, lūdzu, vaigu- | Please trim my side whis-
bārdu (bārdu, ūsas)! | kers (beard, moustache).

Izmazgājiet man, lūdzu, | Please wash my hair.
matus.

Noskujiet man bārdu, lū- | Give me a shave, please.
dzu!

Lūdzu, uzlieciet man kar- | Apply a hot compress,
stu kompresi! | please.

Es vēlētos masāžu. | I'd like a massage.

Lūdzu, mazliet odekolo- | A little cologne (cream)
na (krēma)! | please.

Sieviešu frizētavā

In the Women's Hairdresser's

Pierakstiet mani, lūdzu! | Please make an appoint-
| ment for me.

Es gribētu pierakstīties uz | I'd like an appointment
pulksten ... (uz šodienu, | for ... o'clock (today,
uz rītdienu). | tomorrow).

Kad es varu atnākt? | When may I come?

Es vēlētos ieveidot matus | I'd like a set (a shampoo,
(izmazgāt galvu, ap- | a cut, to change my
griezt matus, mainīt | style).
frizūru).

Es gribētu redzēt frizūru | I'd like to see models of
modeļus. | hair styles.

Es vēlētos modernu grie- | Please give me a fashion-
zumu. | able style.

Kāda frizūra man pie- | What sort of style would
stāvētu? | suit me?

Lūdzu, īsākus (īsākus sā-
nos un priekšpusē, tikai
mazliet īsākus).

Please cut the hair shorter
(shorten the sides and
in front, just a trim).

Es gribētu, lai ausis būtu
atsegtas (aizsegtas).

I want my ears to show
(to be covered).

Lūdzu, saķemmējiet man
matus bez celiņa (ar ce-
liņu labajā/kriesajā pu-
sē)!

Please comb out my hair
without a part (with
a part on the right/left).

Matu laku, lūdzu.

Please use some hairspray.

Laka nav vajadzīga.

No hairspray, please.

Kosmētiskajā kabinetā

At the Beauty Parlour

Lūdzu, sejas (kakla, gal-
vas) masāžu!

Please give me a facial
(neck, head) massage.

Es vēlētos masku (sejas
tīrīšanu).

I'd like a mask treatment
(a facial).

Sejas kosmētiku, lūdzu.

Please make me up.

Es gribētu manikīru (pe-
dikīru).

I'd like a manicure (pe-
dicure).

Nagus, lūdzu, nogrieziet
īsākus (atstājiet garā-
kus).

Please trim my nails (leave
my nails long).

Lūdzu, nolakojiet manus
nagus sārtus (ar perla-
mutra/bezkrāsainu la-
ku)!

Please use a pink (mother-
of-pearl/clear) polish
on my nails.

Noņemiet laku, lūdzu!

Take the polish off, please.

Cik esmu jums parādā?

How much do I owe?

apgriezt matus

cut (someone's) hair

bārda

beard

bārdasnazis

razor

celiņš	parting; part
deniņi	temples
matu žāvētājs	hair-dryer
frizieris	hairdresser
frizūra	hairstyle, hairdo
galva	head
matu mazgāšana	shampooing
grieznes	scissors
ieveidot matus	to set (someone's) hair
ilgviļņi	permanent wave
izmazgāt galvu	wash (someone's) hair
kakls	neck
komprese	compress
kosmētika	make-up
krāsošana	dyeing
krēms	cream
ķemme	comb
manikīrs	manicure
masāža	massage
maska	mask
mati	hair
matu griezums	hair cut
matu ieveidošana	hair setting
matu krāsošana	hair colouring
nagi	nails
nagu laka	nail polish
noskūt	shave
odekolons	cologne
parūka	wig
pedikīrs	pedicure
pūderis	powder
seja	face
sejas ādas tīrīšana un masāža	facial cleansing and massage
sieviešu frizētava	hairdresser's
skropstas	eyelashes
suka	brush
šampūns	shampoo

ūsas	moustache
uzacis	eyebrows
vaigubārda	side whiskers
vīriešu frizētava	barber's shop
žāvēšana	drying

Šūšanas ateljē

Sewing-shop

Vai jūs varat pašūt man kostīmu (kleitu, svārkus, blūzi)?

Can you make me a suit (dress, skirt, blouse)?

Vai šis ir jaunākais modelis?

Is this the latest pattern?

Vai jūs tūlīt noņemsiet mēru?

Will you take measurements right now?

Kad būs pirmā (nākošā) uzlaikošana?

When should I come for the first (the next) fitting?

Vai varētu man to pāršūt?

Can I have this altered?

Šie svārki man ir par šauru (platu).

This skirt is too tight (wide) for me.

Piedurknes ir mazliet par īsu (garu).

The sleeves are a bit too short (long).

Cik tas maksās?

How much will it cost?

āķis	hook
āķis un cilpa	hook and eye
bikses	trousers, pants
blūze	blouse
garums	length
ieloce	fold, pleat
izgriezums	neck line
josta	belt
kabata	pocket
kleita	dress
— ar lielu izgriezumu	low-necked —

— ar garām piedurknēm	long-sleeved —
— ar īsām piedurknēm	short-sleeved —
— bez piedurknēm	sleeveless —
kostīms	costume, suit
mētelis	overcoat
mugurpuse	backside, back
odere	lining
piedurkne	sleeve
platums	width
poga	button
priekšpuse	front
smokings	dinner-jacket
spiedpoga *(apģērbam)*	press-button, patent fastener
svārki *(vīriešu)*, žakete	suit coat, jacket
vienrindas —	single-breasted —
divrindu —	double-breasted —
svārki *(sieviešu)*	skirt
uzvalks	suit
vakarkleita	evening-dress
veste	waistcoat, vest

Apavu labošana — Shoe Repair

Vai jūs varētu salabot šīs kurpes (zābakus)?	Could you fix these shoes (boots)?
Esmu nolauzusi papēdi.	I've broken off the heel.
Sabojājies rāvējslēdzējs.	The zipper is broken.
Traucē nagla.	A nail is bothering me.
Lūdzu, piesitiet papēdi.	Fasten the heel, please.
Aizšujiet lūk šeit, lūdzu.	Please sew the shoe up here.
Vai to var salabot tūlīt?	Can you do it while I wait?
Kad tās būs salabotas?	When will they be ready?
Cik man jāmaksā?	How much do I pay?

Pulksteņu labošana

Mans pulkstenis apstājies.
Es nevaru to uzvilkt.
Es to nosviedu zemē (sa-
situ).
Stikliņš aizsvīdis.
Pulkstenis bieži apstājas.
Mans pulkstenis steidzas
(atpaliek).
Saplīsis stikls.
Nolūzis rādītājs.
Kalendārs darbojas nepa-
reizi.
Cipari slikti redzami.

Watch Repair

My watch has stopped.
I can't wind it up.
I dropped it (broke it).

The face has misted up.
My watch keeps stopping.
My watch is gaining (loos-
ing).
The glass is broken.
The hand has broken off.
The calendar does not
work properly.
The markings are hard to
see.

atspere
ciparnīca

cipari
rādītājs
   stundu —
   minūšu —
   sekunžu —
pulksteņa stikliņš

mainspring, watch spring
dial, face, dial (hour) plate,
   dial piece
figures, chapters, markings
hand
   hour —
   minute —
   seconds —
watch glass; crystal

Pie fotogrāfa

At the Photographer's

Es gribētu nofotografē-
ties.
Man vajadzīgi četri uzņē-
mumi pasei.

I'd like to have my photo
(picture) taken.
I need four snapshots for
my passport.

Kāda lieluma fotogrāfijas jūs vēlaties?	What size of photos would you like?
Trīs reiz četri, lūdzu.	Three times four, please.
Cik eksemplāru jums vajadzīgs?	How many copies do you need?
Nokopējiet man, lūdzu, astoņus uzņēmumus!	Make eight copies for me, please.
Lūdzu, attīstiet man šo filmu!	Develop this film for me, please.
Vai jūs varētu palielināt šo fotogrāfiju?	Could you enlarge this photo?
Vai tā ir melnbalta vai krāsaina filma?	Is this a black-and-white or a colour film?

Fotoaparātu labošana

Camera Repair

Kur atrodas tuvākā fotoaparātu labošanas darbnīcā?	Where is the nearest camera repair shop?
Vai jūs varat salabot manu fotoaparātu?	Can you fix my camera?
Es to nometu zemē.	I dropped it.
Slēdzis iesprūdis.	The shutter release is stuck.
Objektīvs (kasete) aizķeras.	The lens (cassette) jams.
Pārtrūkst filma.	The film tears.
Filma nepārtinas.	The film doesn't advance.
Nefiksējas kadrs.	It doesn't frame properly.
Nevar iestādīt asumu.	It will not focus.
Nedarbojas zibspuldze.	The flash doesn't work.
Lūdzu, apmainiet bateriju.	Please change the battery.

Veļas mazgātavā

Vai es varu nodot veļu mazgāšanā?

Kad tā būs izmazgāta?

Vai vēlaties to cietināt?

In the Laundry

Can I have this linen washed?

When will it be ready?

Would you like it starched?

Ķīmiskajā tīrītavā

Lūdzu, iztīriet man šīs bikses (šo uzvalku, šo mēteli)!

Izgludiniet, lūdzu, šo kreklu, kleitu!

Vai varētu iztīrīt šo traipu?

Tas ir tauku (eļļas krāsas, vīna, asiņu) traips.

In the Dry-cleaner's

Clean these trousers (this suit, this overcoat), please.

Press this shirt (dress), please.

Can this spot be cleaned?

It's a grease (oil-paint, wine, blood) spot.

IEPIRKŠANĀS SHOPPING

Vai varu jums palīdzēt?	Can I help you?
Ko jūs vēlētos?	What would you like?
Es tikai vēlos paskatīties.	I'm just looking.
Es vēlētos to, lūdzu!	I'd like that, please.
Šo nē.	Not that.
Līdzīgu šim.	Similar to this one.
Tādu.	Like that.
Vai tas būs viss?	Will that be all?
Cik daudz jūs vēlaties?	How many (much) do you want?
Vai pietiks?	Is this enough?
Vēl, lūdzu.	More, please.
Mazāk, lūdzu.	Less, please.
Paldies, pietiks.	That's enough, thank you.
Tā būs labi.	That's fine.
Tas nav tas, ko es gribētu.	It's not what I would like.
Vai vēl kaut ko, lūdzu?	Anything else, please?
Paldies, es to ņemšu (neņemšu).	I'll (won't) take it, thank you.
Vai jūs vēlaties, lai es to ietinu?	Would you like it wrapped?
Atvainojiet, viss izpārdots.	Sorry, this is sold out.
Mums šīs preces nav.	We don't have this item.
Kur atrodas pārtikas veikals (universālveikals, grāmatveikals)?	Where's the grocery store (department store, book store)?
Cikos veikals sāk (beidz) darbu?	When does the shop open (close)?
Cik tas maksā?	How much does that cost (is it)?

Lūdzu, pieņemiet pasūtī-
jumu uz rītdienu!
Es samaksāšu pasūtījumu
tūlīt.
Vai jūs pieņemat maksā-
jumus ceļotāju čekos
(ar kredītkartes starp-
niecību)?
Vai varu palūgt kvīti?
Vai drīkst maksāt Lat-
vijas (angļu, amerikā-
ņu) naudā?
Vai jūs pārdodat ar at-
laidi?

I'd like to place an order
for tomorrow, please.
I'll pay for this order now.

Do you take traveller's
cheques (credit cards)?

May I have a receipt?
May I pay with Latvian
(English, American)
money?
Is there a discount?

Pārtika

Augļi, dārzeņi

Cik maksā šie apelsīni?

Vai jums ir svaigi (kon-
servēti) ananasi?
Lūdzu, nosveriet man šo
vīnogu ķekaru!
Lūdzu, nosveriet kilogra-
mu (mārciņu) tomātu
(apelsīnu, banānu)!

Man, lūdzu, divus kilo-
gramus kartupeļu (trīs
citronus, kilogramu sī-
polu)!
Es gribētu šo kāpostgal-
viņu.
Šie banāni vēl ir zaļi.

Food

Fruits, Vegetables

What's the price of these
oranges?
Have you fresh (canned)
pineapples?
Please weigh this bunch of
grapes for me.
Please weigh out one ki-
logram (pound) of tom-
atoes (oranges, bana-
nas).
I'd like two kilograms of
potatoes (three lemons,
one kilogram onions).

I'd like this head of cab-
bage.
These bananas are still un-
ripe.

āboli	apples
ananasi	pineapples
apelsīni	oranges
aprikozes	apricots
arbūzi	watermelons
artišoki	artichokes
avenes	raspberries
avokado	avocado pears
banāni	bananas
baklažāni	aubergines
bietes	red beets
brūklenes	red billberies
bumbieri	pears
burkāni	carrots
cidonijas	quinces
citroni	lemons
dārzeņi	vegetables
dilles	dill
dzērvenes	cranberries
ērkšķogas	gooseberries
granātāboli	pomegranates
greipfrūti	grapefruits
gurķi	cucumbers
ievārījums	jam
jāņogas	currants
kabači	vegetable marrows
kāļi	swedes
kāposti	cabbage
kartupeļi	potatoes
kazenes	blackberries
kolrābji	kohlrabis; colerapes
kompots	stewed fruit
kukurūza	corn
ķiploki	garlic
ķirbji	pumpkins
ķirši	cherries
loki	green onions

mandarīni	mandarins (tangerines)
mārrutki	horse-radish
mellenes	blueberries
melones	melons
ogas	berries
olīvas	olives
pastinaks	parsnips
persiki	peaches
pētersīļi	parsley
pipargurķīši	gherkins (pickles)
plūmes	plums
pupas	beans
puravi	leeks
rabarberi	rhubarbs
redīsi	radishes
rutki	black radishes
salāti	lettuce
selerija	celery
sēnes	mushrooms
sīpoli	onions
skābenes	sorrels
spargeļi	asparagus
spināti	spinach
tomāti	tomatoes
upenes	black currants
vīnogas	grapes
zemenes	strawberries
ziedkāposti (puķkāposti)	cauliflower
zirņi	peas

Pārtikas preces

Kāda tēja jums ir?

Mums ir Indijas (Ceilonas, Ķīnas) tēja.

Grocery Store

What kind of tea have you got?

We have Indian (Ceylonese, Chinese) tea.

auzu pārslas	rolled oats
biezpiens	curds, cottage cheese
citronskābe	citric acid
cukurs	sugar
dateles	dates
eļļa	oil
etiķis	vinegar
garšvielas	spices
jogurts	yoghurt
kafija	coffee
malta —	ground —
kafijas pupiņas	coffee-beans
šķīstošā —	instant —
kakao	cocoa
kanēlis	cinnamon
kardamons	cardamon
kefīrs	kefir
košļājamā gumija	chewing gum
krējums	cream
krustnagliņas	cloves
kukurūzas nūjiņas	popcorn
kukurūzas pārslas	cornflakes
laurlapas	laurel leaves
magoņsēklas	poppy-seed
majonēze	mayonnaise
makaroni	macaroni
manna	semolina
mandeles	almonds
mārrutki	horse-radish
medus	honey
milti	flour
muskatrieksts	nutmeg
paprika	paprika; cayenne
piens	milk
pipari	pepper
putraimi	groats
raugs	yeast

rieksti	nuts
rīsi	rice
rozīnes	raisins
rozīnes bez kauliņiem	sultanas
rozmarīns	rosemary
safrāns	saffron
salātu mērce	salad dressing
sāls	salt
siers	cheese
sinepes	mustard
sīrups	syrup; treacle
spageti	spaghetti
sula	juice
sviests	butter
tēja (maisiņš vienai porcijai)	tea (tea bag)
valrieksti	walnuts
vaniļa	vanilla
vīģes	figs
zemesrieksti	peanuts
želatīns	gelatine

Piena produkti

Dairy Produce

Vai jums ir vairākas sviesta (margarīna) šķirnes?
Es gribētu trīssimt gramus siera, kam nav asa garša.

Have you any more sorts of butter (margarine)?
I'd like three hundred grams of mild cheese.

biezpiens	curds; cottage cheese
jogurts	yoghurt
kefīrs	kefir
krējums (skābais)	sour cream
saldais krējums	cream
putu krējums	whipped cream

margarīns	**margarine**
olas	**eggs**
paniņas	**buttermilk**
piens	**milk**
vājpiens	**skimmed —**
rūgušpiens	**sour (curdled) milk**
siers	**cheese**
Holandes —	**Dutch —**
ķimeņu —	**cheese with caraway seeds**
Šveices —	**Swiss —**
krējumsiers —	**cream —**
zaļais sieriņš	**sapsago —**
sviests	**butter**
nesālīts —	**fresh —**
sālīts —	**salted —**

Gaļas veikals

Butcher's

Liellopu (jēra, aitas) gaļu, lūdzu!

Some beef (lamb, mutton), please.

Trīs cūkas (jēra) karbonādes, lūdzu!

Three pork (lamb) chops, please.

Gurna gabalu diviem (četriem) cilvēkiem, lūdzu!

A joint for two (four) people, please.

Vai jums ir maltā gaļa?

Do you have any minced meat (ground meat)?

Nē, bet es varu jums to samalt.

No, but I can mince it for you.

Man vajadzētu putna gaļu.

I need some poultry.

Mums ir plašā izvēlē vistas (tītari, pīles, zosis).

We have a wide choice of chicken (turkeys, ducks, geese).

aknas	**liver**
cālis (vista)	**chicken**

fileja	fillet
gaļa	meat
aitas —	mutton
cūkgaļa	pork
jēra —	lamb
malta —	minced meat; ground meat
liellopu (vērša) —	beef
putnu —	poultry
svaiga —	fresh
teļa —	veal
gaļas (zivs) gabals cepšanai	steak
kauls	bone
medījums	game
mēle	tongue
nieres	kidneys
ribiņas	spare rib
smadzenes	brains
speķis	bacon
šķiņķis	ham

Kulinārija — Delicatessen

cepetis	roast (meat)
cīsiņi	frankfurters (sausages, wieners)
desa	sausage
aknu —	white pudding; liver —
žāvēta —	smoked —
ķiplokdesa	garlic —
Hamburgas maizīte	hamburger
kaviārs	caviar
kūpināts zutis	smoked eel
pastēte	paté
pica	pizza
rostbifs	roast beef
šķiņķis (cepts) žāvēts	smoked (cooked) ham

Zivis

Vai jums ir saldūdens (jū-
ras) zivis?

Vai jums ir svaigas (kon-
servētas) zivis?
Bez ikriem, lūdzu!

Fish

**Have you any kind of
freshwater (saltwater)
fish?**
**Have you some fresh (can-
ned, tinned) fish?**
**Without spawn (roe),
please.**

asaris (saldūdens un jūras)	bass
asaris (saldūdens)	perch
āte	halibut
brētliņa	sprat
bute	plaice
forele	trout
garneles (krevetes)	prawns (shrimps)
gliemenes	mussels
karpa	carp
karūsa	crucian
krabis	crab
krevetes	prawns
langusts	spiny lobster
lasis	salmon
līdaka	pike
līnis	tench
makrele	mackerel
menca	cod
nēģis	lamprey
omārs	lobster
paltuss	turbot
pīkša *(mencas paveids)*	haddock
plaudis	bream
rauda	roach
sapals	chub
sardīne	sardine

siļķe	herring
skumbrija	scomber
store	sturgeon
vēdzele	eel-pout, burbot
vēzis	crayfish, crawfish
zutis	eel

Maizes izstrādājumi

Baker's

maize	bread
baltmaize	white —
grauzdēta —	toast —
klona —	country —
veselības —	wholemeal —
rupjmaize	rye-bread
maize, sagriezta riecie-nos	sliced —
smalkmaizīte	roll, bun
radziņš	crescent roll

Konditorejas izstrādājumi

Confectionery

ābolkūka	apple-tart, apple pastry, apple cake
biezpienmaizīte	cheese-cake, pie
biskvītkūka	sponge-cake
biskvīts	sponge
cepumi	biscuits, cookies
dražejas	syrup-filled bonbons
karameles	caramels
kēkss	pound-cake
kliņģers	yeast cake (twist of bread)
konfekšu kārba	sweet (candy) box

konfektes (arī saldumi)	sweets; candy
kūka	pastry; cake
marcipāns	marzipan (marchpane)
marmelāde	marmelade
pildījums	stuffing, filling
piparkūka	gingerbread
pīrāgs	pie; pastry
ābolu —	apple-pie
gaļas —	meatpie
saldumi	candy
šokolāde	chocolate
šokolādes konfektes	chocolates
šokolādes plāksnīte *(tā-felīte)*	chocolate bar
torte	cake
vafele	waffle
virtulis	doughnut
želeja	jelly

Bezalkoholiskie dzērieni — Soft Drinks

atspirdzinošs dzēriens	tonic, refreshing drink
kokakola	Coca-Cola
minerālūdens	mineral water
pepsikola	Pepsi-Cola
sodas ūdens	soda water
sula	juice

Alkoholiskie dzērieni — Strong (Alcoholic) Drinks

alus	beer
gaišais —	lager; pale beer; ale
tumšais —	bitter; stout; porter

aperitīvs	**aperitif**
degvīns	**vodka**
džins	**gin**
— ar tonizējošu dzērie- nu	**— and tonic**
karstvīns	**mulled wine**
kokteilis	**cocktail**
konjaks	**cognac, brandy**
liķieris	**liqueur**
punšs	**punch**
šampanietis	**champagne**
vermuts	**vermouth**
vīns	**wine**
viskijs	**whisky**
— ar ledu	**— on the rocks**

Saldējums

Ice-Cream

Es gribētu porciju zemeņu (pistāciju) saldējuma.
Lūdzu, banānu (šokolādes) saldējumu!

I'd like a cone of strawberry (pistachio) ice.
A banana (chocolate) ice, please.

saldējuma kiosks	**ice-cream parlour**
saldējums	**ice-cream; ice**
aveņu —	**raspberry —**
banānu —	**banana —**
mokas —	**mocha —**
pistāciju —	**pistachio —**
riekstu —	**nut —**
šokolādes —	**chocolate —**
vaniļas —	**vanilla —**
zemeņu —	**strawberry —**

Universālveikalā

In the Department Store

Es gribētu iepirkties universālveikalā.

I'd like to do some shopping at a department store.

Kur šeit ir sporta preču (rotaļlietu) nodaļa?

Where's there a sporting goods (toy) department?

Kurā stāvā pārdod skaņuplates (kaklasaites, parfimēriju)?

On which floor are phonograph records (neckties, cosmetics)?

Man vajag sieviešu (vīriešu) kurpes.

I need some women's (men's) shoes.

Es meklēju šalli (cimdus).

I'm looking for a scarf (some gloves).

Kur es varētu nopirkt ...?

Where could I buy ...?

Es gribētu nopirkt ...

I'd like to buy ...

Man vajadzīgs ...

I need ...

Dodiet man, lūdzu ...

Please give me ...

Vai jums ir ...?

Do you have ...?

Parādiet man, lūdzu ...

Please show me ...

Vai jūs varētu ieteikt lētu ...?

Can you recommend an inexpensive ...?

Cik tas maksā?

How much does it cost?

Vai man jāmaksā jums vai kasē?

Do I pay you, or at the cash register?

Kur atrodas kase?

Where's the cash register?

Kur atrodas eskalators (lifts)?

Where's the escalator (lift)?

Vai jums ir pārdevēji, kas runā angliski?

Do you have any salespeople who speak English?

Iesaiņojiet šo, lūdzu!

Please wrap this up for me.

Lūdzu, iesaiņojiet visu kopā!

Wrap everything together, please.

Lūdzu, ieliec iet to maisi-
ņā!

Please put this in the bag.

Vai šis ir kokvilnas (vil-
nas) uzvalks?

Is this suit cotton (wool)?

Vai šī ir zīda (trikotāžas)
kleita?

Is this dress silk (knit)
fabric?

Vai drīkstu to uzlaikot?

May I try it on?

Kur atrodas uzlaikoša-
nas kabīne?

Where's the fitting room?

Kāds lielums tas ir?

What size is this?

Man, lūdzu, liela (vidēja,
maza)* izmēra džem-
peri!

Please give me a jumper
in the large (medium,
small) size.

Tas ir par īsu (šauru, ma-
zu).

This is too short (tight,
small).

Tas ir par garu (platu,
lielu).

This is too long (wide,
big).

Vai jūs to varat iešūt (saī-
sināt, pagarināt)?

Can you take in (shorten,
lengthen) this?

Kad tas būs gatavs?

When will it be ready?

Vai to nevarētu izdarīt
manā klātbūtnē (līdz
vakaram, ātrāk)?

Couldn't you do it while
I wait (by evening, more
quickly)?

Tas man (ne)der.

That does (not) fit me.

Tas man (ne)patīk.

I (don't) like that.

Es to (ne)ņemšu.

I'll (not) take that.

Man nepieciešams pulo-
vers, kas derētu ... ga-
dus vecai (vecam)
meitenei (zēnam).

I need a pullover for a girl
(boy) ... years old.

Tas nav gluži tas, kas
man vajadzīgs.

That's not quite what
I wanted.

---

*) Lielbritānijā un ASV trikotāžas izstrādājumus iedala
trijos lielumos liels (large), vidējs (medium), mazs (small);
un attiecīgi apzīmē ar burtiem «L», «M» un «S».

Lūdzu, parādiet man kaut ko labāku (lētāku, citā krāsā)!

Please show me something better (a bit less expensive, in a different colour).

Vai jums, lūdzu, nebūtu cits modelis (kaut kas ar citu zīmējumu)?

Have you got anything in a different style (with another design)?

Vai jums nav citu modeļu?

Don't you have any other models?

Šī cena man ir pieņemama.

This price suits me.

Vai jūs man varat pazemināt cenu?

Can you lower the price?

Vai drīkstu apmainīt (atgriezt atpakaļ) nopirkto preci?

Can I exchange (return) things I have bought?

Paldies!

Thank you.

apmainīt	change
atgriezt atpakaļ	return
cena	price
čeks	cheque; check
izrakstīt čeku	write out a receipt
uzrādīt čeku	present a receipt
dārgs	dear, expensive
elegants	elegant
etiķete	label
gatavs	ready, ready made, ready-to-use
iepirkties	go shopping
iesaiņot	wrap
izpārdošana	sale, discount
izvēlēties	choose
— pieskaņotu	— (something) to match
kase	cash register
kasieris	cashier
krāšņs	dressy

kvalitāte	quality
lēts	cheap, inexpensive
lielums	size
maksāt	cost
mode	fashion
modelis	model, style
modeļu demonstrēšana	fashion show
moderns	stylish, fashionable, modern
nodaļa	department, section
nokrāsa	shade
pārdevējs	salesperson
pārdot	sell
pieņemt pasūtījumu	take an order
pirkt	buy
pirkums	purchase
preces	goods
rēķins	bill
samaksāt	pay
skatlogs	shop window, display window
pašapkalpošanās universāl-veikals	self-service grocery
uzlaikošana	trying on
uzlaikot	try on
veikals	shop, store
vilnas	wool
vitrīna	shop window
zīds	silk

Audumi

Vai tā ir tīra vilna?
Nē, šajā audumā ir sep-tiņdesmit pieci pro-centi vilnas.
Vai jums ir dabiskā zīda audumi?

Fabric

Is that pure wool?
No, this fabric is seventy five per cent wool.

Have you got any natural silk?

Parādiet man, lūdzu, au-
dumu mētelim (uzval-
kam, kleitai)!
Kādā krāsā jūs vēlētos?
Vai jūs vēlaties vienkrā-
sainu (rakstainu) audu-
mu?
Varam jums piedāvāt rū-
tainu (punktainu, svīt-
rainu) audumu.
Vai jums neliekas, ka šis
raksts ir pārāk sīks?
Šis audums ir pārāk
biezs (plāns).
Šis audums nebalo (ne-
burzās, neraujas maz-
gājot).

Cik maksā metrs (jards)?

Show me, please, mate-
rials for an overcoat
(suit, dress).
What color would you like?
Would you like a plain
(patterned) fabric?

We can offer you a checked
(dotted, striped) fabric.

Don't you think this pat-
tern is too detailed?
This fabric is too thick
(thin).
This fabric won't lose col-
our (won't wrinkle,
won't shrink on wash-
ing).
How much does this cost
a metre (yard)?

apdrukāts audums	printed fabric
atgriezums	length
— kleitai	dress —
atlass	satin
audekls	linen fabric
batists	batiste; cambric, lawn
brokāts	brocade
dekoratīvs audums	decorative (ornamental) fabric
flanelis (vilnas)	flannel
flanelis (kokvilnas)	flannelette
kaprons	capron, kapron
kašmirs	cashmere
katūns	printed cotton
kokvilna	cotton
neilons	nylon

oderes audums	lining fabric
palagu audekls	sheeting
pašausts audums	homespun
perlons	perlon
pikē	pique
poplīns	poplin
samts	velvet
saržs	serge
satīns	sateen
sintētika	synthetics
triko	tricot
trikotāža	knitwear *(izstrādājumi);* knitted fabric *(audums)*
tvīds	tweed
uzvalku drāna	suiting
velūrs	velours; velure
velvets	corduroy; velveteen
vilna	wool
vilnas trikotāža	jersey
zīds	silk

Gatavie apģērbi

Ready-made Clothes

Parādiet man, lūdzu, uzvalkus (mēteļus, kleitas)!

Show me, please, some suits (overcoats, dresses).

Vai es varētu pielaikot šīs velveta bikses (šo kostīmu, šos vīriešu svārkus)?

Could I try on these corduroys (this suit, this suit coat)?

Vai šis mētelis man labi pieguļ?

Does this overcoat fit me well?

Tas jums ir tieši laikā (par šauru, par platu).

It fits you perfectly (is too tight, is too wide).

Vai šis lietusmētelis nav par lielu (par mazu)?

Isn't this raincoat too big (small)?

Šis kažoks (putekļmētelis) jums ļoti piestāv.

This fur coat (duster) suits you very well.

Tas jums nepiestāv.

It does not suit (become fit) you.

Lūdzu, parādiet man modernu vējjaku!

Show me a fashionable blazer, please.

Kādas krāsas šogad ir modē?

What colours are popular this year?

apģērba lielums	clothing size
apkakle	collar
atloks	lapel
bikses	trousers
sieviešu, vaļīgas —	slacks
velveta —	corduroys
blūze	blouse
džemperis	jumper
džinsi	jeans
kabata	pocket
kažoks	fur coat
kostīmkleita	two-piece (dress)
kostīms	suit (costume)
krekls	shirt
mētelis	overcoat
piedurknes	sleeves
ar garām piedurknēm	long-sleeved
ar īsām piedurknēm	short-sleeved
bez piedurknēm	sleeveless
pulovers	pullover
putekļmētelis	dust-coat
rītakleita	dressing-gown
svārki *(sieviešu)*	skirt
uzvalks	suit
uzlaikot sev	try on

uzlaikot citam	fit on
vakartērps	evening dress
veste	waistcoat; vest
vīriešu svārki	suit coat
zvērādas	fur
žakete	jacket

Apavi

Footwear

Es vēlos nopirkt rudens (ziemas, vasaras) kurpes.	I'd like to buy a pair of autumn (winter, summer) shoes.
Lūdzu, parādiet man šos zābakus!	Please show me these boots.
Es gribētu melnus (brūnus) zābakus.	I'd like black (brown) boots.
Es gribētu šīs pelēkās zamšādas kurpes.	I'd like these grey suede shoes.
Kāds ir jūsu kurpju izmērs.	What's your shoe size?
Vai varu tās pielaikot?	May I try them on?
Šie zābaki ir pašā laikā.	These boots are just right.
Šīs kurpes spiež (ir par šaurām, ir par platām).	These shoes pinch (are too tight, are too wide).
Vai papēdis nav pārāk augsts (zems)?	Isn't the heel too high (low)?

āda	leather
apavu krēms	boot polish
kurpes	shoes
kurpju saites	shoe laces
kurpju velkamā lāpstiņa	shoe horn
lakādas vakarkurpes	pumps
lakkurpes	patent-leather shoes
papēdis	heel
puszābaki	boots

rītakurpes	slippers
sandales	sandals
zābaki	boots
garie —	high-boots
— virs ceļiem	jack —
stulmu —	high (riding) —
zamšāda	chamois; suede
zole	sole
ādas —	leather —
gumijas —	rubber —
kaučuka —	synthetic rubber —

Cepures

Hats

Es gribētu cepuri ar šauru (platu) malu.

I'd like a hat with a narrow (wide) brim.

Vai šī platmale man piestāv?

Does this hat suit me?

Lūdzu, parādiet man šo bereti!

Please show me this beret.

berete	beret
cepure	cap, hat
adīta —	knitted cap
salmu —	straw hat
sieviešu —	lady's hat
vīriešu —	men's hat
cepures mala	brim
cepures nags	peak
cepuru veikals *(sieviešu)*	milliner's
cepure veikals *(vīriešu)*	hatter's
galvassega	headgear
naģene	peaked cap
platmale	hat
žokejcepure	cap

Galantērija

Haberdashery (Fancy Goods)

Lūdzu, parādiet man virskreklu!

Show me this shirt, please.

Man vajadzīgs krekls ar garām (īsām) piedurknēm.

I need a shirt with long (short) sleeves.

Kāds ir jūsu krekla lielums?

What's your shirt size?

Es gribētu kaklasaiti, kas būtu pieskaņota šim kreklam.

I'd like a tie to match this shirt.

Parādiet man šo somu, lūdzu!

Show me this bag, please.

Man vajadzīgs čemodāns (ceļasoma).

I need a suitcase.

Es ņemšu šo.

I'll take this.

Es gribētu ādas (zamšādas, adītus) cimdus.

I'd like leather (suede, knitted) gloves.

Vai jums būtu tādi paši cimdi citā krāsā?

Don't you have these gloves in a different colour?

Šie cimdi man ir pašā laikā (par platu, par šauru).

These gloves fit perfectly (are too wide, are too tight).

Lūdzu, parādiet man šo veļas komplektu!

Please show me this set of underwear.

Vai tā ir kokvilnas (zīda, sintētikas) apakšveļa?

Is this cotton (silk, synthetic) underwear?

Vai jūs varētu man parādīt šo pidžamu?

Could you show me these pyjamas?

Man vajadzīgs galvas (plecu, kakla) lakats.

I need a kerchief (shawl, scarf).

Lūdzu, parādiet man mutautiņus!

Show me some handkerchiefs, please.

Vai es varētu apskatīt šīs sieviešu (vīriešu) zeķes?

Could I see these stockings (socks)?

adāmadatas	**knitting needles**
adata	**needle**
apakšbikses *(vīriešu)*	**underpants**
apakškrekls	**undershirt**
apakšveļa	**underwear**
aproču pogas	**cuff links**
biksītes *(sieviešu, bērnu)*	**panties**
bikšturi	**braces; suspenders**
brilles	**glasses; spectacles**
saules —	**sunglasses**
ceļasoma	**travel bag**
cimdi *(dūraiņi)*	**mittens**
cimdi *(pirkstaiņi)*	**gloves**
ādas —	**leather —**
adīti —	**knitted —**
zamšādas —	**suede —**
čemodāns	**suitcase**
diega numurs	**count**
diegi	**thread**
diegu spolīte	**reel of thread**
dvielis	**towel**
frotē —	**Turkish —**
dzija *(vilnas)*	**woollen yarn, wool**
elektriskais skūšanās aparāts	**electric razor**
galvas lakatiņš	**kerchief**
gultasveļa	**bed-clothes, bedding, bed linen**
jaka	**jacket**
ādas —	**leather —**
adīta —	**cardigan**
sporta — ar kapuci	**windbreaker with a hood**
josta	**belt**
kabatportfelis	**wallet; pocketbook; notecase**
kaklauts	**neckerchief; scarf; muffler**
kaklasaite	**tie**
tauriņveida —	**bow —**
kombinē	**slip**
krekls	**shirt**

krūšturis	brassiere; bra
ķemme	comb
lietussargs	umbrella
manikīra piederumu kom-plekts	manicure set
matadata	hair grip, hairpin
mutautiņš	handkerchief
nagu vīlīte	nail-file
naktskrekls	night-gown, nightie
naudasmaks	purse
palags	sheet
pārsegs	cover
peldbikses	swimming-trunk
peldcepure	bathing-cap
peldkostīms	bathing-suit, swimsuit
pidžama	pyjamas
plecu lakats	shawl
pogas	buttons
portfelis	briefcase, bag
«diplomāts»	attache-case
pūdernīca	powder-case
pulverizators	pulverizer, sprayer, spray
rāvējslēdzējs	zipper
sega	blanket
sieviešu somiņa	purse, handbag
skūšanās otiņa	shaving-brush
skūšanās aparāts	safety razor
soma	bag
spilvendrāna	pillow-case
spraužamadata	safety-pin
suka	brush
drēbju —	clothes —
matu —	hairbrush
zobu —	toothbrush
sūklis	sponge
šalle	scarf; shawl
šujamadata	sewing-needle

IEPIRKŠANĀS
SHOPPING

šķēres	scissors
trikotāža	knitwear
veļa	linen
galda —	table —
virspalags	upper sheet
zeķbikses	tights; panty hose
zeķes *(garās)*	stockings
vīriešu —	socks
zeķturis	suspender-belt
žilete	razorblade

Parfimērija

Perfumery

Kādas smaržas jums ir pārdošanā?

What perfumes do you have for sale?

Cik maksā šīs smaržas?

How much is this perfume?

Lūdzu, dodiet man franču smaržas (pūderi, odekolonu)!

Please give me some French perfume (powder, cologne).

Es gribētu lūpu zīmuli № ... (matu laku, skropstu tušu).

I'd like the lipstick number ... (some hairspray, some mascara).

Es ņemšu šīs tualetes ziepes (acu ēnas, matadatu).

I'll take that perfumed soap (eye shadow, hair grip).

Vai šis krēms domāts normālai (sausai, taukainai) ādai?

Is this cream meant for normal (dry, oily) skin?

Lūdzu, parādiet man šo naktskrēmu (sejas krēmu, roku krēmu)!

Please show me this night-cream (face cream, hand cream).

Man vajag krēmu pēc bārdas skūšanās (žilešu paciņu, matu suku).

I need an after-shave cream (a package of razor blades, a hair brush).

Vai šis krēms pirms (pēc) bārdas skūšanas ir labs?

Is this pre-shave (after-shave) cream good?

Cik maksā šī tūbiņa?

How much is this tube?

Radiouztvērēji un televizori

Radio and TV Sets

Dodiet man, lūdzu, skaņuplati (fotofilmu)!

Please give me a record (film).

Vai jums ir ... ieraksti?

Do you have recordings by ...?

Vai jums ir N. pēdējais albums?

Do you have N's latest album?

Man vajadzīga kasete (plate).

I need a cassette (record).

Lūdzu, ierakstiet šo plati kasetē!

Please record that on a cassette.

Man nepieciešams atskaņotājs (magnetofons, automašīnas magnetofons).

I need a turn-table (tape player, car tape deck).

Man vajadzīgs radiouztvērējs.

I need a tuner (radio).

Cik maksā adata (pastiprinātājs, mikrofons)?

How much does a stylus (an amplifier, a microphone) cost?

Vai jums ir dubultkasešu magnetofons?

Do you have a double-cassette tape deck?

Vai drīkstu paklausīties, kā tas darbojas?

May I hear it playing?

Kāda ir šo akustisko sistēmu jauda?

What is the power of these speakers?

Cik diapazonu ir šim uztvērējam?

How many ranges does this tuner have?

Ar to var uztvert garos, vidējos un īsos viļņus.

Vai šim aparātam ir ultraīsviļņu diapazons?

Vai jums ir krāsu (melnbaltie) televizori?

Vai krāsas nav pārāk spilgtas (blāvas)?

It receives long, medium and short waves.

Does this set have a frequency modulator (an ultra short wave) range?

Have you got colour (black-and-white) TV sets?

Aren't the colours too bright (faded)?

akustiskā sistēma (fonors)	speaker
antena	aerial
atskaņotājs	turn-table, record-player
atskaņotāja adata	stylus
attēls (televizorā)	TV picture
austiņas (stereo)	headphones (stereo)
baterija	battery
diapazona pārslēdzējs	band selector
diktofons	dictophone
drošinātājs	(safety-) fuse
frekvence	frequency
funkcionēšanas režīms	mode
iemutnis	mouthpiece
ieraksta atskaņojums	playback
kanāls	channel
kineskops	television tube
kombinēts ieraksts	mixing
kompaktdisks	compact disc, CD
kompaktdisku atskaņotājs	CD player
kondensators	condenser
kontaktdakša	plug
divzaru —	two-pin —
trijzaru —	three-pin —
kontaktligzda	(plug) socket
lentes skaitītājs	tape counter

līdzstrāva	direct current (DC)
magnētiskā lente	magnetic tape
magnetofons	tape-recorder, tape player
automašīnas —	tape deck for an automobile
kasešu —	tape deck
personālais pārnēsāja-mais—	personal stereo cassette
kasešu stereomagnetofons	cassette stereo player
stereofoniskais —	stereo tape player
magnetola	tape player with a radio
maiņstrāva	alternating current (AC)
mikrofons	microphone
mūzikas centrs	music center
noskaņošana *(uz raidstaci-jas viļņa)*	tuning
pastiprinātājs	amplifier
plate	phonograph record
ilgspēlējošā plate	long-playing record (LP)
stereofoniskā plate	record in stereo
potenciometrs	potentiometer
precīzā noskaņošana *(uz raidstacijas viļņa)*	fine tuning
radiolampa	valve
radiouztvērējs	radio
regulēšanas slēdži, pogas u.c.	controls
savienotājvads *(ierakstīša-nai)*	connecting cord
skaļrunis	loudspeaker
(skaņas) stiprums	(sound) volume
slēdzis	switch
spiedpoga	button
televizora tālvadības ierīce	TV remote control unit
televizors	TV set
tranzistors	transistor
tranzistoruztvērējs	transistor radio
videokamera	video camera
video kasete	video cassette

video kasešu magnetofons	**video cassette recorder (VCR)**
viļņa garums	**wavelength**

Mūzikas instrumenti

Musical Instruments

akordeons	**accordion**
alts	**viola**
arfa	**harp**
bungas	**drum**
čells	**violoncello, cello**
fagots	**bassoon**
flauta	**flute**
flīģelis	**grand piano**
ģitāra	**guitar**
harmonikas	**accordion, concertina**
mutes —	**mouth-organ**
klarnete	**clarinet**
klavieres	**piano**
kontrabass	**double-bass, contrabass**
ksilofons	**xylophone**
mandolīna	**mandolin(e)**
mežrags	**French horn**
oboja	**oboe**
saksofons	**saxophone**
sintezators	**synthesizer**
sitamie instrumenti	**percussion instruments**
tamburīns	**tambourine**
timpāni	**timbrels, kettle-drums**
trombons	**trombone**
trompete	**trumpet**
vijole	**violin**

Juvelierizstrādājumi   Jewelry

Kādi pulksteņi jums ir?

What kind of watches do you have?

Vai jums ir Šveices (Seiko firmas) pulksteņi?

Have you got Swiss (Seiko) watches?

Man vajadzīgs elektroniskais pulkstenis.

I need an electronic watch.

Cik akmeņu ir šim pulkstenim?

How many jewels this watch has?

Vai šim pulkstenim ir zelta (apzeltīts) ietvars?

Has this watch a gold (gold plated) case?

Vai jums ir vīriešu pulksteņi ar datumu (vīriešu kabatas pulksteņi)?

Do you have men's watches with the date (men's pocket watches)?

Lūdzu, parādiet man sieviešu pulksteni ar modinātāju un hronometru (sieviešu rokaspulksteni modinātāju ar melodiju)!

Please show me a lady's alarm-stop watch (a lady's musical alarm watch).

Man vajadzīgs (virtuves) sienas pulkstenis.

I need a (kitchen) wall clock.

Es vēlētos iegādāties labu sienas pulksteni ar svārstu.

We'd like to buy a good pendulum wall clock.

Parādiet man, lūdzu, šo laulības gredzenu (zīmoggredzenu, gredzenu ar briljantiem un safīriem)!

Show me this wedding ring (signet ring, ring with diamonds and sapphires), please.

Kas tas ir par dārgakmeni?

What stone is it?

Vai jūs varētu iegravēt šo tekstu (datumu, monogrammu)?

Could you engrave this inscription (date, monogram)?

Kur, lūdzu, ir gravieris?	Where is the engraver, please?
Es gribētu aplūkot šo ķēdīti (aproci, kulonu).	I'd like to see that chain (bracelet, pendant).
Cik maksā šis medaljons?	How much is this locket?
Kā tas atverams?	How can I open it?

ahāts	agate
ametists	ametist
aproču pogas	cufflinks
apsudrabots	silver plated
apzeltīts	gold plated; gilded
auskari	earrings
briljants	diamond
ciparnīca	face; dial
dārgakmens	jewel; (precius) stone
dārglietas	valuables
dimants	diamond
dzintars	amber
gredzens	ring
laulības —	wedding —
saderināšanās —	engagement —
zīmoggredzens	signet —
hronometrs	chrono(meter); stop-watch
imitācija	imitation
juvelieris	jeweller
juvelierveikals	jeweller's (shop)
kaklarota	necklace
pērļu —	pearl —
ķēdīte	chain
koraļi	corals
krelles	beads, necklace
kulons, karulis	pendant
lādīte	case, casket, jewelry box
medaljons	locket, medallion

niķelēts	nickel plated
niķelis	nickel
opāls	opal
pērle	pearl
platīns	platinum
pulkstenis	clock, watch
kabatas —	pocket watch
modinātājpulkstenis	alarm watch, alarm clock
rokas —	wrist-watch
sienas —	wall clock
virtuves —	kitchen clock
pulksteņķēde	watch-chain
pulksteņsiksniņa	(watch-)strap
rādītājs	hand
minūšu —	minute —
sekunžu —	second —
stundu —	hour —
rokaspulksteņa ietvars	case
rokassprādze	bracelet
rubīns	ruby
safīrs	sapphire
sakta	brooch
smaragds	emerald
sudrabs	silver
tīrs —	sterling —
tirkīzs	turquoise
topāzs	topaz
zelts	gold
ziloņkauls	ivory

Rakstāmpiederumi Stationery

Piecus bloknotus, lūdzu! Five writing-pads, please.
Vai jums ir līnijpapīra Have you ruled (squared)
(rūtiņpapīra) klades? paper notebooks?

Man vajadzīga burtnīca (nošu burtnīca, zīmēšanas burtnīca).

Man vajadzīgs vēstuļpapīrs (piezīmju papīrs).

Kārbiņu spraudīšu (saspraužu), lūdzu!

Vai jums ir papīra līme (pasteļkrītiņi, akvareļkrāsas)?

Lūdzu, parādiet man mapes (ātršuvējus)!

Man vajadzīgi vienkāršie (ķīmiskie, krāsu) zīmuļi.

Man vajadzīgas desmit loksnes kartona.

Vai jums ir kalkulatori (tinte, tuša)?

Trīs mīkstos (cietos) zīmuļus, lūdzu!

Es gribētu nopirkt lodīšu pildspalvu (flomāsteru, pildspalvu).

Cik maksā lineāls (rasetne, velce)?

I need a copy-book (music-book, sketch-book).

I need letter-paper (note-paper).

A box of push-pins (paper clips), please.

Do you have paste (pastels, watercolours)?

Please show me some folders (loose-leaf binders).

I need lead (indelible, coloured) pencils.

I need ten sheets of cardboard.

Do you have any calculators (ink, Indian ink)?

Three soft (hard) pencils, please.

I'd like to buy a ball-point (a felt-tipped pen, a fountain pen).

How much is a ruler (set drawing instruments, contour-pen)?

albums	album
akvareļkrāsas	watercolours
aploksne	envelope
burtnīca	copy-book
līniju —	ruled paper —
rūtiņu —	quadrille ruled paper —
bloknots	writing-pad
cirkulis	compass
dzēšgumija	eraser, rubber

eļļas krāsas	oil-paint
flomāsters	felt-tipped pen, felt-tip, marker, felt-point pen
guaša krāsas	gouache
kalkulators	calculator
kartons	cardboard
klade	notebook
kopējamais papīrs	carbon-paper
krāsas	colours
krītpapīrs	art paper
līme	glue, paste
lineāls	ruler
logaritmiskais —	slide-rule
lodīšpildspalva	ball-point pen
loksne	sheet
mape, vāki	folder
papīrs	paper
krītpapīrs	art —
pauspapīrs	tracing-paper
rakstāmpapīrs	writing-paper
rasēšanas —	drawing —
vatmaņpapīrs	Whatman (paper)
pasteļkrītiņi	pastels
piezīmju bloks	writing-pad
piezīmju grāmatiņa	note-book
pildspalva	fountain-pen
rakstāmmape	writing-case
rakstāmpiederumi	desk-set, writing-set
rakstāmpiederumu veikals	stationer's shop
rasēšanas dēlis	drawing-board
rasetne	set (case) of drawing instruments
saspraude	clip
spraudīte	push-pin, tack
tinte	ink
tuša	Indian ink
velce	ruling-pen, contour-pen

automātiskā velce (rapi-
dogrāfs)

Rapidograph

zīmulis

pencil

Fotopiederumi

Photographic Supplies

Lūdzu, parādiet šo fo-
toaparātu!

Show me this camera,
please.

Cik liela ir šī objektīva
gaismasspēja?

What's the light-capacity
of this lens?

Vai jums ir krāsaina
(melnbalta) filma?

Have you a colour (black-
and-white) film?

Kāds ir šīs filmas jūtī-
gums?

What's the sensitivity of
this film?

Vai jums ir fotoaparāti ar
platleņķa objektīvu?

Have you got cameras
with wide angle lenses?

Kāda ekspozīcija nepie-
ciešama, ja debesis ir
apmākušās?

What should the exposure
be, if the sky is over-
cast?

Parādiet man, lūdzu, šo
šaurfilmu kinoaparātu!

Show me this miniature-
film camera, please.

attīstītājs — developer
diapozitīvs, slīdnīte — slide
eksponometrs — exposure meter
fiksatīvs — fixer
fiksāža — fixing agent, hypo
filma — film
fotoaparāts — camera
fotoaparatūra — photographic equipment
fotofilma — film
fotogrāfija — photography
fotolaboratorija — photographic laboratory
fotopapīrs — photographic paper

fotouzņēmums — photo, photograph, snapshot
gaismas filtrs — light filter
gaismjutīgums — light-sensitivity
kasete *(filmai)* — cassette
kinofilma — motion picture film
kinokamera — motion-picture camera, (movie-) camera

kinoprojektors — projector
lēca — lens
objektīvs — lens, objective
  platleņķa — obtuse angled —
projekcijas aparāts — projector, stillprojector
skatu meklētājs — viewfinder
teleobjektīvs — telescopic lens, telephotolens
videokamera — video camera
videokasete — video cassette
zibspuldze — flash bulb

Sporta piederumi

Sports Equipment

Es gribētu nopirkt basketbola (volejbola) bumbu.

I would like to buy a basketball (voleyball).

Vai jums ir volejbola (tenisa) tīkls?

Do you have a voleyball (tennis) net?

Man vajadzīga divvietīga (četrvietīga) neilona telts.

I need a nylon tent fot two (four) persons.

Kādi divriteņi jums ir?

What bicycles have you got?

Man vajadzīgs sacīkšu (tūristu) divritenis.

I need a racing (tourist) bike.

Vai jums ir ziemas sporta piederumi?

Do you have winter sports equipment?

Mums ir slēpes, slidas un kamaniņas.

We have skis, skates and sleds.

akvalangs	**aqualung**
badmintona bumbiņa	**the shuttlecock, feathered ball**
bise	**hunting rifle**
boksa cimdi	**boxing-gloves**
bumba	**ball**
divritenis	**bicycle, cycle, bike**
bērnu —	tricycle
sacīkšu —	**racing —**
sieviešu —	**lady's —**
sporta —	**sport —**
tūristu —	**touring —**
divstobrene	**double-barelled gun**
guļammaiss	**sleeping-bag**
hanteles	**dumb-bells**
hokejnūja	**hockey-stick**
hokejripa	**puck**
kamaniņas	**sleds**
kedas	**sports boots (shoes)**
laiva	**boat**
airu —	**rowboat**
buru —	**sailboat**
loks	**bow**
mākslīgā ēsma	**artificial bait**
makšķerāķis	**fishing-hook**
makšķeraukla	**fishing-line**
makšķere	**fishing-rod**
motorlaiva	**motor boat**
mugursoma	**kit-bag, back-patch**
naglenes	**spikes, track shoes**
piepūšamais matracis	**air mattress**
pludiņš	**float, bobber**
pneimatiskā šautene	**pneumatic rifle**
skrituļslidas	**roller-skates, rollers**
slēpes	**skis**
slēpju nūjas	**ski sticks, ski poles**
slēpju stiprinājumi	**the ski-bindings**
slidas	**skates**

daiļslidošanas —
  hokeja —
spinings
spole
telts
tenisrakete
vizulis

figure —
  hockey —
spinning
spinning reel
tent
(tennis-)racket
spoon-bait

Rotaļlietas

Toys

Kur ir rotaļlietas visjau-
  nākā vecuma (pirms-
  skolas vecuma, skolas
  vecuma) bērniem?
Kādu rotaļlietu jūs ieteik-
  tu ... gadus vecai (ve-
  cam) meitenei (zēnam)?
Lūdzu, parādiet man šo
  lelli (tās video spēles)!
Mums ir liela mīksto ro-
  taļlietu (rotaļu dzīvnie-
  ku) izvēle.
Man vajadzīgas gumijas
  (piepūšamās) rotaļlie-
  tas.
Vai nevēlaties kādu uzvel-
  kamu (elektrisku) ro-
  taļlietu?

Where are the toys for
  infants (children under
  school age, children of
  school age)?
What kind of toy would
  you recommend for
  a girl (boy) of ...?
Please show me this doll
  (those video games).
We've got a wide choice
  of cuddly toys (softani-
  mals).
I need some rubber (infla-
  table) toys.

Wouldn't you like a wind-
  up (electric) toy?

atjautības uzdevums *(attēla
  salikšana no atsevišķām
  daļām)*
automobilis
bumba
bungas

jigsaw puzzle

car
ball
drum

elektroniskās spēles	electronic games
elektriskais dzelzceļš	electric railway
galda spēles	table games
grabulītis	rattle
helikopters	helicopter
klauns	jumping jack
klucīši	toy blocks
kuģis	ship
lācītis	teddy bear
lelle	doll
lidmašīna	plane
mozaīka	mosaic
pistole	pistol
raķete	rocket
saliekamās bildītes	jigsaw puzzle
skrejrats	scooter
skrituļdēlis	skate board
tanks	tank
taure	trumpet

Trauki, saimniecības preces

Pots and Dishes, Household Goods

Es gribētu nopirkt pusdienu (tējas, kafijas) servīzi sešām (divpadsmit) personām.

Kāds tilpums ir šim ledusskapim?

Vai jums ir kafijas dzirnaviņas (veļas mazgājamās mašīnas, elektriskās plītiņas)?

I'd like to buy a dinner (tea, coffee) set for six (twelve).

What is the volume of this refrigerator?

Do you have a coffee-grinder (washing machines, electric hotplates)?

adāmmašīna	knitting machine, knitter
āmurs	hammer
attaisāmais *(konservu, pude-ļu)*	opener
bļoda	bowl
dakša	fork
elektriskā plītiņa	electric hotplate
gaļasmašīna	mincing-machine, meat-chopper
gāzes plītiņa	gas-ring, gas-cooker
gāzes plīts	gas-range, gas-stove
gludeklis	iron
kafijas dzirnaviņas	coffee-grinder, coffee-mill
kafijas vārāmais	coffee machine, espresso
kafijkanna	coffee-pot
karote	spoon
kastrolis	saucepan, stew-pan, pan, casserole
kristāls	crystal
krūze	cup, jug, pitcher
ledusskapis (liels)	refrigerator
— (mazs)	ice-box
matu žāvētājs	hair-dryer
mazgājamā bļoda	wash-basin
mikseris	mixer
naglas	nails
nazis	knife
panna	frying-pan
paplāte	tray
pelnutrauks	ashtray
porcelāns *(trauki)*	china, porcelain
putekļusūcējs	vacuum-cleaner
rīve	grater
saimniecības ziepes	household (laundry) soap
servīze	set of dishes
sietiņš	sieve
skrūves	screws

spainis	bucket
sulu spiede	squeezer, juicer
svari	scales
virtuves —	kitchen —
šujmašīna	sewing-machine
veļas mazgājamā mašīna	washing machine
veļas pulveris	soap-powder, laundry detergent
tējkanna	tea-pot
termofors	hot-water bottle
termoss	thermos(flask), vacuum-flask
tosters *(grauzdētājs)*	toaster
trauku mazgājamā mašīna	automatic dish-washer
zupas trauks	tureen

Grāmatas, žurnāli, avīzes

Books, Magazines, Newspapers

Dodiet man, lūdzu, šo grāmatu (pilsētas ceļvedi, krāsainas atklātnes)!

Please give me this book (a guidebook to the city, coloured postcards).

Vai jums ir Ņujorkas (Londonas, Otavas) karte?

Do you have a map of New York (London, Ottawa)?

Man vajadzīgas atklātnes ar ... skatiem.

I want some postcards with views of ...

Lūdzu, kur atrodas tehniskās (mākslas, medicīnas) literatūras nodaļa?

Where is the technical (art, medical) department, please?

Es gribētu aplūkot daiļliteratūras (izziņu literatūras, mācību literatūras) katalogu.

I'd like to see catalogue of fiction and poetry (reference books, textbooks).

Mani interesē mūsdienu literatūra (dzeja, detektīvromāni).

I'm interested in modern literature (poetry, detective novels).

Vai jums ir audio kasetes angļu (zviedru, franču) valodas apgūšanai?

Do you have audio cassettes for learning English (Swedish, French)?

Vai jums, lūdzu, ir angļu valodas lingafona kurss (itāļu valodas pašmācības grāmata)?

Do you have an English audio course (an Italian programmed learning book), please?

Man nepieciešama vārdnīca (sarunvalodas vārdnīca).

I need a dictionary (a phrase-book).

Vai jums ir latviešu (angļu) rakstnieku grāmatas latviešu (angļu) valodā?

Do you have books by Latvian (English) authors in Latvian (English)?

Kur, lūdzu, atrodas antikvariāts?

Where is a second-hand book dealer shop, please?

Dodiet man, lūdzu, avīzi (žurnālu) ...!

Please, give me a copy of ...!

Cik bieži iznāk šis žurnāls?

How frequently is this magazine published?

Man vajadzētu modes žurnāla pēdējo numuru.

I'd like the latest issue of a fashion magazine.

Cik maksā šī grāmata (avīze, žurnāls)?

How much is this book (newspaper, magazine)?

ābece — ABC-book
albums — album
  skiču — sketch-book
  marku — stamp album
angļu (amerikāņu) klasiķu darbi — classics of English (American) literature
antoloģija — anthology
apvāks — jacket, wrapper
atlants — atlas
autors — author

brošūra	booklet, pamphlet, brochure
ceļvedis	guide-(book)
daiļdarbs	work of art
daiļliteratūra	fiction and poetry, belles-lettres
darbu izlase	selected works
dzeja	poetry
dzejolis	poem
dzejoļu krājums	collection of poems
enciklopēdija	encyclopaedia
fantastika	science fiction
grāmata	book
hrestomātija	reader
iesējums	binding
ilustrācija	illustration, picture
izdevniecība	publishing house
izdevums	publication, edition, issue
atkārtots —	reprint
kalendārs	calendar
karte	map
kopoti raksti	collected works
lapa	sheet
lappuse	page
lirika	lyrics
luga	play
mācību grāmata	textbook
memuāri	memoirs
metiens	circulation *(periodiskam izdevumam)*
	edition *(grāmatai)*
novele	short story
pasaka	fairy-tale
pilsētas plāns	a city map
proza	proze
rakstnieks	writer
rokasgrāmata	reference book, handbook, manual

romāns	novel
sarunvārdnīca	conversation book, phrase-book
sējums	volume
vāks	cover
vārdnīca	dictionary

Tabaka

Tobacco

Kur es varētu nopirkt cigaretes?	Where can I buy cigarettes?
Lūdzu, dodiet man stipras (vieglas) cigaretes!	Please give me regular (mild) cigarettes.
Vai jums ir cigāri (šķiltavu kramiņi)?	Do you have cigars (lighter flints)?

cigarešu paciņa (bloks)	a pack (carton) of cigarettes
cigārs	cigar
pelnutrauks	ashtray
pīpe	a pipe
pīpes tabaka	pipe tobacco
sērkociņu kārbiņa	a box of matches
šķiltavas	a lighter

Ziedi

Flowers

Dodiet man, lūdzu, trīs (piecus, septiņus) ziedus!	Please give me three (five, seven) flowers.
Man vajadzīgas rozes (neļķes, narcises, tulpes).	I need roses (carnations, daffodils, tulips).
Kas šie par ziediem?	What kind of flowers are these?

Cik maksā zieds (šis puķu pušķis, šis grozs)?	How much does one (this bouquet, that basket) cost?
acālijas	azaleas
asteres	asters
atraitnītes	pansies
ceriņi	lilac
alpu vijolītes	cyclamens
dālijas	dahlias
dzīvas puķes	fresh flowers, natural flowers
frēzijas	fresias
gerberas	gerberas
gladiolas	gladioli, gladioluses
gundegas	meadow buttercups
hiacintes	hyacinths
īrisi	irises
jasmīni	jasmines
kaktusi	cacti
kreses	nasturtiums
krizantēmas	chrysanthemums
krokusi	crocuses
lauku puķes	wild flowers, field flowers
lauvmutītes	snapdragons
lefkojas	stock
lilijas	lilies
magones	poppies
maijpuķītes	lillies of the valley
mākslīgās puķes	artificial flowers
narcises	daffodils
neaizmirstules	forget-me-nots
neļķes	carnations
orhidejas	orchids
peonijas	peonies
pīpenes	daisies
puķu pārdevēja	florist *(veikalā)*, flower-girl *(uz ielas)*

puķu veikals	florist's
puķzirnīši	sweet peas
purenes	marsh marigolds
rozes	roses
rudzupuķes	corn-flowers
sniegpulkstenītes	snowdrops
tulpes	tulips
vijolītes	violets
vizbulītes	anemones

IZKLAIDĒŠANĀS, BRĪVAIS LAIKS

AMUSEMENTS, LEISURE TIME

Kā jūs pavadāt brīvo laiku?

How do you spend your free time?

Kādi ir jūsu vaļasprieki?

What are your hobbies?

Mans vaļasprieks ir marku krāšana (klavierspēle, tūrisms).

My hobbie is stamp collecting (piano playing, tourism).

Kāda ir jūsu iemīļotākā nodarbošanās?

What do you like to do most?

Man patīk ceļot (slidot, slēpot).

I like to travel (skate, ski).

Es krāju monētas (nozīmītes, pastkartes).

I collect coins (pins, postcards).

Vai jums patīk mūzika?

Do you like music?

Kāda mūzika jums patīk?

What sort of music do you like?

Vai jūs spēlējat kādu instrumentu?

Do you play an instrument?

Es spēlēju klavieres (ģitāru).

I play the piano (guitar).

Kā saucas šī spēle?

What's that game called?

Iemāciet mani spēlēt kriketu (golfu)!

Teach me to play cricket (golf).

Kur atrodas volejbola laukums (baseins, tenisa korts)?

Where's the volley-ball court (swimming-pool, tennis court)?

Vai viesnīcā ir diskotēka (sauna, biljarda telpa)?

Does the hotel have a discotheque (sauna, billiard room)?

Vai ir iespējas iznomāt ūdensslēpes (laivu, ūdens velosipēdu)?

Can I rent water skis (a boat, a water bicycle)?

Kur atrodas pludmale?

Where's the beach?

Kā aiziet (aizbraukt) līdz jūrai (ezeram, upei)?

How can I get to the sea-shore (lake, river)?

Kāda šodien ūdens temperatūra?

What's the water tempe-rature today?

Es vēlētos pastaigāties (izbraukt ar kuteri, pastaigāties kalnos).

I'd like to take a walk (take a cruise, walk in the mountains).

Vai mēs dosimies augšup pa kalnu ceļu (pa trošu ceļu, ar funikuleru, ar krēslu liftu)?

Are we going up on the mountain path (a cable car, a funicular railway, a chair lift)?

Es gribētu braukt ar ragaviņām (paslēpot, paslidot).

I'd like to go sledding (ski, skate).

Pa kādu trasi var nobraukt lejā?

Which ski run should I take?

Kā nokļūt līdz tramplīnam?

How do I get to the ski-jump?

Kur atrodas trase?

Where's the run?

Mēs vēlētos pamedīt.

We'd like to go hunting.

Cik tas maksā?

How much is it?

Kurš būs mūsu pavadonis medībās?

Who'll be our guide for the hunting trip?

Vai pašlaik atļauts medīt briežus (mežacūkas, lapsas)?

Is this the season for deer (wild boar, fox)?

Cikos jāpulcējas medniekiem?

At what time does the hunting trip start?

Vai jūs šeit pavadāt atvaļinājumu?

Are you taking your vacation here?

Es šeit pavadu brīvdienas (atvaļinājumu).

I'm spending my holidays (vacation) here.

Kā (kur) jūs parasti pavadāt atvaļinājumu?

How (where) do you usually spend your vacation?

Es pavadu atvaļinājumu pie jūras (kūrortā, laukos, kalnos).

I spend my vacation at the shore (at a spa, in the country, in the mountains).

Kādi ir populārākie kūrorti?

What resorts are popular?

Ko esat nodomājis šovakar darīt?

What are your plans for this evening?

Aiziesim uz pludmali (somu pirti, autosacīkstēm)!

Let's go to the beach (sauna, auto race).

Es vēlētos redzēt modes skati (varietē programmu).

I'd like to see a fashion show (variety show).

Es gribētu aiziet uz diskotēku (spēļu automātu zāli, biljarda zāli).

I'd like to go to a discotheque (the arcade, the billiard hall).

Kā sauc šo deju?

What's this dance called?

Vai drīkstu lūgt uz deju?

May I ask you to dance?

Atvainojiet, es nedejoju.

Excuse me, I don't dance.

Sports

Sports

Kādi (ziemas, vasaras) sporta veidi ir populāri jūsu valstī?

What (winter, summer) sports are popular in your country?

Kuri no jūsu sportistiem ir pasaules (Eiropas, olimpiskie) čempioni?

What world (European, Olympic) champions are among your athletes?

Kurš (no jūsu sportistiem) ietilpst valsts futbola (hokeja) izlasē?

Which of your athletes are members of the national soccer (hockey) team?

Cik jūsu pilsētā stadionu?

How many stadiums does your city have?

Kā sauc centrālo stadionu?

What's the main stadium called?

Cik skatītāju tas var uzņemt?

How many spectators can it hold?

Kā man nokļūt līdz stadionam?

How do I get to the stadium?

Kur (kad) notiks džudo (jāšanas, ūdenspolo) sacensības?

Where (when) will the judo (equestrian, water polo) competition be?

Mēs gribētu noskatīties hokeja spēli (futbola maču, daiļslidošanas sacensības).

We'd like to see a hockey game (soccer match, figure-skating competition).

Man, lūdzu, vienu biļeti (divas biļetes)!

Give me one ticket (two tickets), please.

Kas šodien spēlē?

Who's playing today?

Kurai komandai jūs jūtat līdzi?

For which team are you rooting?

Kas ir tiesnesis (tiesneši)?

Who's the referee? (Who are the judges?)

Kāds rezultāts?

What's the score?

Kas uzvarēja (zaudēja)?

Who won (lost)?

Kuram bija labākais rezultāts (labākais laiks)?

Who had the best result (best time)?

Vai jūs nodarbojaties ar sportu?

Do you participate in sports?

Es nodarbojos ar kalnu slēpošanu (deltaplanierismu).

I do downhill skiing (hanggliding).

Es spēlēju tenisu (futbolu, volejbolu).

I play tennis (soccer, volleyball).

Neesmu sportists, tačū man patīk sports.

I'm not an athlete, but I like sports.

Kas ir jūsu iemīļotākais sporta veids?

What's your favourite sport?

Vai jūs spēlējat golfu (badmintonu, šahu)?

Do you play golf (badminton, chess)?

Vai jūs esat sporta kluba biedrs?	**Do you belong to a sports club?**
Kādu klubu jūs pārstāvat?	**What club do you represent (play for)?**

atpūtas nams	**rest home**
autosacīkstes	**auto racing**
autosports	**motor sports**
badmintons	**badminton**
baseins	**swimming-pool**
beigties ar neizšķirtu	**draw, tie**
biljards	**billiards**
botāniskais dārzs	**botanical garden**
bumba	**ball**
būt labā (sliktā) formā	**be in good (poor) form (shape)**
būt pirmajā (otrajā) vietā	**be in first (second) place**
čempions	**champion**
daiļslidošana	**figure skating**
dambrete	**draughts, checkers**
dejas	**dancing**
diskotēka	**discotheque**
Disnejlenda	**Disneyland**
draudzības spēle	**friendly match**
emblēma	**emblem**
funikulers	**funicular railway**
futbols	**football, soccer**
galda teniss	**ping-pong**
gliseris	**speed-boat**
golfs	**golf**
hipodroms	**hippodrome**
hokejs	**hockey**
iesist vārtus	**score a goal**
izcīnīt (iegūt) medaļu	**win a medal**
jahta	**yacht**
just līdzi	**support, to be a fan of**
kalnu ceļš	**mountain trail (road)**

kazino	casino
kempings	camp ground
kija	cue
klubs	club
kluba (biedrības) loceklis	club (society) member
kolekcionēt	collect
komanda	team
komandas kapteinis	team captain
krikets	cricket
kuteris	cutter, motor-launch
ķegļi	skittles
ķegļu spēle	bowling; bowls
ķegļu spēles zāle	bowling-alley
laiva	boat
līderis, vadītājs	leader
līdzjutējs	fan
lifts	lift
mačs, spēle	match
makšķerēšana	angling
medības	hunt
nodarboties ar sportu	go in for sports
noma	renting
noteikumi	rules
pārkāpt noteikumus	break the rules
olimpiāde	Olympiad
peldēšana	swimming
pikniks	picnic
ragaviņas	sled
rakete	racket
rezultāts	result, score
izlīdzināt rezultātu	even the score
sacensības	competition
sauļoties	sun-bathe
sērfings	surfing
skriešana	running
skrituļdēlis	skateboard
slēpes	skis

slēpošanas piederumi	skiing equipment
slēpot	ski
slidot	skate
slidotava	rink
solārijs	solarium
somu pirts	sauna
spēle	game, match
spēlētājs	player
spēlēt futbolu (šahu)	play soccer (chess)
spēļu automāts	pinball machine
sporta laukums	court, field
sporta zāle	gymnasium
sportists	athlete
sports	sport
stadions	stadium
stafete	relay race
šaha galdiņš	chess board
šaha kauliņš	chess man
šahs	chess
šautuve	shooting-range
tenisa korts	tennis court
tenisbumbiņa	tennis ball
tenisrakete	tennis racket
teniss	tennis
tramplīns	ski-jump
trenēt, trenēties	train
tribīne	reviewing stand
trosu ceļš	cable railway
pārgājiens	hiking
ūdensslēpes	water skis
ūdensvelosipēds	water bicycle
uzvara	victory
gūt uzvaru	win
uzvarēt *(spēli, cīņu, tikšanos)*	win (a match, a fight, a meet)
vindsērfings	wind surfing
volejbola laukums	volley-ball court
volejbola tīkls	volley-ball net

volejbols	**volley-ball**
zaudējums	**defeat**
zaudēt	**lose, suffer defeat**
zirgu skriešanas sacensības	**horse races**
zvejošana	**fishing**

LAIKA APSTĀKĻI

WEATHER

Kāds šodien laiks?

What's the weather like today?

Šodien ir karsts (silts, vēss, auksts).

Today it is hot (warm, cool, cold).

Laiks ir jauks (labs, slikts, nepastāvīgs).

The weather is fine (good, bad, changeable).

Spīd saule.

The sun is shining.

Laiks šodien ir brīnišķīgs (apmācies, mākoņains, pelēks).

The weather today is wonderful (overcast, cloudy, dull).

Sacēlies vējš.

The wind has sprang up.

Šodien ir vējains (mitrs).

It's windy (wet) today.

Vējš maināsies.

The wind alters.

Vējš norimis.

The wind has calmed down.

Vētra norimusi.

The storm has subsided.

Līst (smalks, spēcīgs) lietus.

It's raining. (It's sprinkling. It's raining hard.)

Līņā (birst krusa).

It drizzles (hails).

Gāž kā ar spaiņiem.

It's raining cats and dogs.

Zibeņo, dārd pērkons.

It's lightning, it thunders.

Esmu izmircis līdz ādai.

I'm wet to the skin.

Lietus drīz pāries.

The rain will cease soon.

Snieg.

It is snowing.

Putina.

There's a snow-storm.

Ceļi šodien apledojuši.

The roads are icy today.

Redzamība ir slikta (laba).

Visibility is poor (good).

Ir ļoti slidens, esiet uzmanīgi.

It is very slippery; be careful.

Kāda šodien gaisa (ūdens) temperatūra?

What's the temperature (water temperature) today?

Kāds šodien gaisa mitrums?

What's the humidity today?

Kāds šodien gaisa spiediens? (Ko šodien rāda barometrs?)

What's the barometre reading today?

Plus (mīnus) pieci grādi.

Five degrees above (below) zero. / Plus (minus) five degrees.

Cik nejauks laiks!

What awful weather!

Vai jūs nezināt laika prognozi rītdienai?

Have you heard the weather forecast for tomorrow?

Kāds rīt būs laiks?

What will the weather be like tomorrow?

Rīt gaidāms vējš (migla, lietus, sniegs).

A windy day (fog, rain, snow) is expected tomorrow.

Vai jūsu zemē ir maigs (skarbs) klimats?

Is the climate in your country mild (severe)?

Ziemas (vasaras) caurmēra temperatūra ir ...

The average (mean) temperature in winter (summer) is ...

Kāds mēnesis jūsu zemē ir visaukstākais (vissiltākais)?

What is the coldest (warmest) month in your country?

Lielbritānijā (ASV) vissiltākais mēnesis ir jūlijs.

In Britain (the USA) the warmest month is July.

atkala	ice-crusted ground, iciness, freezing rain
atkusnis	thaw
auksts	cold
aukstums	frost

bezvējš	calm weather, windless
gaisa mitrums	humidity
gaisa spiediens	air pressure
grāds	degree
gubu mākoņi	cumuli, piles (cauliflower) clouds
jūras klimats	sea climate
jūras vējš	sea-wind, sea-breeze
kailsals	glazed frost, icing
karsts	hot
karstums	heat
klimats	climate
kontinentālais klimats	continental climate
krasta vējš	off-shore wind, land breeze
krusa	hail
krusas grauds	hailstone
kust	melt
laika prognoze	weather forecast
laiks	weather
lietus	rain
lietus mākoņi	rainclouds
maigs klimats	mild climate
mainīgs mākoņu daudzums	variable clouds
mākonis	cloud
mitrs, drēgns	wet, humid
negaisa mākoņi	storm-clouds, thunder-clouds
negaiss	thunder-storm
orkāns	hurricane
pa vējam	before (down) the wind
pērkons	thunder
pret vēju	against (in the teeth of) the wind
prognozēt laiku	predict the weather
putenis	snow-storm
redzamība	visibility
rūsa	summer lightning
salna	frost

saulains	sunny
silts	warm
skaidroties	to clear up
skrejoši mākoņi	cloud-drift
slapjdraņķis	slush, sleet
slāņu mākoņi	strati
sniegs	snow
snigšana	snowfall
spalvu mākoņi	fleecy clouds, cirri
taifūns	typhoon
temperatūra	temperature
varavīksne	rainbow
vējš	wind
vēss	cool
vētra	storm, gale *(uz jūras)*
viegls vējš	breeze
viesulis	whirlwind, gale
virpuļvētra	waterspout, tornado
zibens	lightning
zibensnovedējs	lightning-rod
zibens spēriens	stroke of lightning
zibens uzliesmojums	flash of lightning, thunderbolt

LAIKA SKAITĪŠANA

CHRONOLOGY

sekunde	second
minūte	minute
stunda	hour
Cik, lūdzu, pulkstenis?	What time is it, please?
Kāds, lūdzu, ir pareizais laiks?	What's the exact time, please?
Septiņi.	Seven o'clock.
Ir tieši desmit.	It's ten sharp.
Desmit pāri astoņiem.	Ten past eight.
Piecpadsmit pāri vienpadsmitiem.	Eleven fifteen. (A quarter past eleven).
Pusdeviņi.	Eight thirty. (Half past eight.)
Bez piecām trīs.	Five minutes to three.
Bez piecpadsmit četri.	Quarter to four.
Ap divpadsmitiem.	About twelve.
Vai jūsu pulkstenis ir precīzs?	Does your watch tell the correct time?
Mans pulkstenis ir precīzs (atpaliek, steidzas).	My watch is right (slow, fast).
Vai tiešām ir jau tik vēls?	Is it really so late?
Ir /ļoti/ agrs.	It's /very/ early.
Ir /pārāk/ vēls.	It's /too/ late.
Esam laikā.	We are on time.
Kad?	When?
Tūlīt.	Now. (Right away.)
Tad.	Then.
Sen.	Long ago.
Nesen.	Not long ago. (Recently.)

Pēc pusstundas (pāris stundām).	In half an hour (a couple of hours).

Nedēļas dienas

Days of the Week

pirmdiena	Monday
otrdiena	Tuesday
trešdiena	Wednesday
ceturtdiena	Thursday
piektdiena	Friday
sestdiena	Saturday
svētdiena	Sunday
Kas šodien par dienu?	What day is it today?
Šodien ir otrdiena (sest- diena).	Today is Tuesday (Satur- day).
Kad tas noticis (notiks)?	When did it happen? When will it happen?
No rīta.	In the morning.
Dienā.	During the day.
Vakarā.	In the evening.
Šovakar.	This evening.
Naktī.	During the night.
Pusdienlaikā.	At noon.
Pusnaktī.	At midnight.
Vakar.	Yesterday.
Šodien.	Today.
Rīt.	Tomorrow.
Parīt.	Day after tomorrow.
Aizvakar.	Day before yesterday.
Vakar no rīta (vakarā, naktī).	Yesterday morning (even- ing, night).
Rīt vakarā (naktī, no rī- ta).	Tomorrow evening (night, morning).
Šonedēļ (nākošnedēļ, pa- gājušajā nedēļā).	This (next, last) week.
Katru dienu.	Every day.

Šajā (pagājušajā, nākošajā) trešdienā.	This (last, next) Wednesday.
Pirmdien.	On Monday.
Pirms piecām dienām.	Five days ago.
Iepriekšējā dienā.	On the previous day.
Nākošajā dienā.	On the next day.
Pēc nedēļas.	In a week.
Pēc divām nedēļām.	In a fortnight.

Mēneši

Months

janvāris	January
februāris	February
marts	March
aprīlis	April
maijs	May
jūnijs	June
jūlijs	July
augusts	August
septembris	September
oktobris	October
novembris	November
decembris	December
Mēs atbrauksim martā (šomēnes, nākamajā mēnesī, pēc diviem mēnešiem).	We'll come in March (this month, next month, in two months).
Kad jūs esat dzimis?	When were you born?
Esmu dzimis aprīlī (jūlijā).	I was born in April (July).
Tas notika pirms pieciem (septiņiem) mēnešiem.	It was five (seven) months ago.
Pēc mēneša.	In a month.

Gadalaiki

pavasaris
vasara
rudens
ziema
Pavasarī (vasarā, rudenī,
    ziemā).

Datumi

Kāds ir šodien datums?
Šodien ir tūkstoš deviņ-
    simt deviņdesmit cetur-
    tā gada septiņpadsmi-
    tais decembris.
Kurā gadā jūs apprecē-
    jāties?
Es apprecējos tūkstoš
    deviņsimt astoņdesmi-
    tajā gadā.

Seasons

spring
summer
autumn
winter
In spring (summer,
    autumn, winter).

Dates

What date is it today?
Today is the seventeenth
    of December, nineteen
    ninety four.

In which year were you
    married?
I was married in nineteen
    eighty.

ASTRONOMISKĀS PARĀDĪBAS, ĢEOGRĀFISKIE JĒDZIENI

ASTRONOMICAL PHENOMENA, GEOGRAPHICAL CONCEPTS

Astronomiskās parādības

Astronomical Phenomena

Drīz uzlēks saule.	Soon the sun will rise.
Saule jau uzlēkusi.	The sun has already risen.
Ir tumšs.	It's dark.
Aust diena.	Day is breaking.
Krēslo.	Dusk is growing.
Iestājas tumsa.	It's getting dark.
Mirdz zvaigznes.	Stars are shining.

aptumsums	eclipse
apvārsnis	horizon
ausma	dawn
blāzma	glow
debesis	sky
debesu velve	firmament
gaisma	light
komēta	comet
krēsla	dusk
meteors	meteor
pavadonis	satellite
planēta	planet
polārzvaigzne	polar-star, the North Star
piena (putnu) ceļš	Milky Way
saullēkts	sunrise

saulriets	sunset
tumsa	darkness
visums	universe
zeme	the Earth
ziemeļblāzma	arctic lights, Northern Lights
zvaigznājs	constellation
zvaigzne	star

Debespuses — Cardinal Points

ziemeļi	north
ziemeļu	northern
ziemeļaustrumi	north-east
ziemeļaustrumu	north-eastern
ziemeļrietumi	north-west
ziemeļrietumu	north-western
austrumi	east
austrumu	eastern
dienvidi	south
dienvidu	southern
dienvidaustrumi	south-east
dienvidaustrumu	south-eastern
dienvidrietumi	south-west
dienvidrietumu	south-western
rietumi	west
rietumu	western

Vietas un virziena apzīmējumi — Designations of Place and Direction

aizmugurē	at the back, behind
atpakaļ	back, backwards
augstāk	higher
augstu	high

augšā	overhead, above
augšup	up, upwards
dziļāk	deeper
dziļi	deep
horizontāli	horizontally
iekšā	inside
kur	where
lejā	below
lejup	down, downwards
no kurienes	where from, from where
no šejienes	from here
no turienes	from there
pa kreisi	to the left, left
pa labi	to the right, right
paralēli	parallel
perpendikulāri	perpendicularly
priekšā	in front of
šeit	here
šurp	here, hither
tālāk	farther
tālu	far
tur	there
tuvāk	closer
tuvu	close, near
uz priekšu	forward
vertikāli	vertically
zemāk	lower
zemu	low

Ģeogrāfiskie jēdzieni

Geographical Notions

augstiene	height, high ground
bēgums	ebb, falling tide
ezers	lake
ieteka	estuary

jūra	**sea**
jūras šaurums	**strait**
jūrmala	**seaside, beach**
kalns	**mountain**
kanāls	**canal**
kontinents	**continent**
krāces	**rapids**
krasts *(jūras)*	**coast, shore**
(ezera)	**bank**
ledājs	**glacier**
līdzenums	**plain**
okeāns	**ocean**
paisums	**rising tide, flood tide**
pieteka	**tributary**
plakankalne	**plateau**
pussala	**peninsula**
sala	**island**
sēklis	**ford, sandbank**
straume	**stream**
tuksnesis	**desert**
ūdenskritums	**waterfall**
upe	**river**
vulkāns	**volcano**
zemesrags	**cape**
zemiene	**lowland**

Kontinenti

Continents

Āfrika	**Africa**
Amerika	**America**
Antarktīda	**Antarctic Continent**
Austrālija	**Australia**
Āzija	**Asia**
Eiropa	**Europe**

Okeāni

Atlantijas okeāns
Indijas okeāns
Klusais okeāns
Ziemeļu Ledus okeāns

Oceans

Atlantic Ocean
Indian Ocean
Pacific Ocean
Arctic Ocean

Jūras

Adrijas jūra
Arābijas jūra
Baltā jūra
Baltijas jūra
Barenca jūra
Bēringa jūra
Dzeltenā jūra
Īrijas jūra
Japāņu jūra
Karību jūra
Kaspijas jūra
Melnā jūra
Sarkanā jūra
Vidusjūra
Ziemeļjūra

Seas

Adriatic Sea
Arabian Sea
White Sea
Baltic Sea
Barents Sea
Bering Sea
Yellow Sea
Irish Sea
Sea of Japan
Caribbean Sea
Caspian Sea
Black Sea
Red Sea
Mediterranean Sea
North Sea

MĒRVIENĪBAS

UNITS OF MEASUREMENT

Garums

Lenght

milimetrs
centimetrs
decimetrs
metrs
kilometrs
colla
pēda
jards
jūdze
1 cm = 10 mm
1 dm = 10 cm
1 m = 100 cm
1 km = 1000 m
1 colla = 2,54 cm
1 pēda = 30,48 cm
1 jards = 91,44 cm
1 jūdze = 1,609 km
1 jūras jūdze = 1,852 km

millimetre
centimetre
decimetre
metre
kilometre
inch
foot
yard
mile
1 cm = 10 mm
1 dm = 10 cm
1 m = 100 cm
1 km = 1,000 m
1 inch = 2.54 cm
1 foot = 30.48 cm
1 yard = 91.44 cm
1 mile = 1.609 km
1 (nautical) mile = 1.852 km

Laukums

Area

kvadrātmilimetrs
kvadrātcentimetrs
kvadrātdecimetrs
kvadrātmetrs
hektārs

square millimetre
square centimetre
square decimetre
square metre
hectare

kvadrātkilometrs
1 ha = 10000 m²
1 akrs = 0,404 ha

square kilometre
1 hectare = 10,000 m²
1 acre = 0.404 ha

Tilpums

kubikmilimetrs
kubikcentimetrs
kubikdecimetrs
kubikmetrs
kubikkilometrs

Volume

cubic millimetre
cubic centimetre
cubic decimetre
cubic metre
cubic kilometre

Šķidrumu tilpums

mililitrs
litrs
hektolitrs
pinta
galons
barels
ASV:
1 pinta = 0,47 l
1 galons = 3,785 l
1 naftas barels = 159 l
Lielbritānijā:
1 pinta = 0,568 l
1 galons = 4,545 l
1 muca = 1145,6 l

Liquid Measure

millilitre
litre
hectolitre
pint
gallon
barrel
USA:
1 pint = 0.47 l
1 gallon = 3.785 l
1 barrel (of oil) = 159 l
Great Britain:
1 pint = 0.568 l
1 gallon = 4.545 l
1 barrel = 1145.6 l

Svars (masa)

miligrams
grams
kilograms
centners

Weight (Mass)

milligram
gram
kilogram
centner

tonna	**ton**
unce	**ounce**
mārciņa	**pound**
1 g = 1000 mg	**1 g = 1,000 mg**
1 kg = 1000 g	**1 kg = 1,000 g**
1 centners = 100 kg	**1 centner = 100 kg**
1 t = 1000 kg	**1 ton = 1,000 kg**
1 unce = 28,35 g	**1 ounce = 28.35 g**
1 mārciņa = 0,454 kg	**1 pound = 0.454 kg**

Laiks

Time

1 minūte = 60 sekundes	**1 minute = 60 seconds**
1 stunda = 60 minūtes	**1 hour = 60 minutes**
1 diennakts = 24 stundas	**1 day = 24 hours**
1 nedēļa = 7 dienas	**1 week = 7 days**
1 gads = 365 dienas (366 dienas)	**1 year = 365 days (366 days)**
1 gads = 12 mēneši	**1 year = 12 months**
1 gadsimts = 100 gadi	**1 century = 100 years**

KRĀSAS

COLOURS

aveņkrāsas	raspberry
balts	white
bronzas krāsas	bronze
brūns	brown
dzeltens	yellow
gaišbrūns	light brown
gaišs	light
gaišzils	light blue
melns	black
oranžs	orange
pelēks	gray
raibs	multicoloured
punktains	spotted
rudzupuķu zils	cornflower blue
sarkans	red
spilgti —	scarlet
sārts	pink
sudrabains	silver
tumšs	dark
tumšzils	navy blue
vienkrāsains	one-coloured
violets	violet
zaļš	green
zeltains	gold
zils	blue

VIETNIEKVĀRDI PRONOUNS

Es	I
Tu	You
Jūs	You
Viņš	He
Viņa	She
Mēs	We
Viņi	They

SKAITĻA VĀRDI   NUMERALS

0	Zero, nought, nil
1	one
2	two
3	three
4	four
5	five
6	six
7	seven
8	eight
9	nine
10	ten
11	eleven
12	twelve
13	thirteen
14	fourteen
15	fifteen
16	sixteen
17	seventeen
18	eighteen
19	nineteen
20	twenty
21	twenty-one
22	twenty-two
30	thirty
31	thirty-one
32	thirty-two
40	forty
50	fifty
60	sixty
70	seventy
80	eighty

90	ninety
100	one hundred
200	two hundred
300	three hundred
400	four hundred
500	five hundred
600	six hundred
700	seven hundred
800	eight hundred
900	nine hundred
1000*	one thousand
2356	two thousand three hundred fifty six
4000	four thousand
6000	six thousand
10000	ten thousand
100000	one hundred thousand
1000000	one million
puse	[one] half
trešdaļa	one third
divas trešdaļas	two thirds
ceturtdaļa	one fourth, [one] quarter
trīs ceturtdaļas	three fourths, three quarters
viena piektdaļa	one fifth
divkārt	twice
trīskārt	three times
četrkārt	four times
0,3** trīs desmitdaļas, nulle komats trīs	three tenths, point three

---

*) Sākot ar četrzīmju skaitļiem, katrus trīs nākošos ciparus Lielbritānijā un ASV pieņemts atdalīt ar komatu: 1,000; 10,000; 100,000; 1,000,000.

**) Lielbritānijā un ASV decimāldaļskaitļos lieto punktu, nevis komatu: 0.3; 2.87 utt.

2,87 divi un astoņdesmit septiņas simtdaļas, divi komats astoņdesmit septiņi	two and eighty-seven hundredths, two point eighty-seven
2% divi procenti	two percent
6,5% sešarpus procenti	six and a half percent
vienreiz	once
pāris	a pair
divi pāri	two pairs
pusducis	half a dozen
ducis	dozen
desmits	ten
simts	[one] hundred
divkārtējs	twofold, double
trīskārtējs	threefold, triple, treble
četrkārtējs	fourfold, quadruple
pieckārtējs	fivefold
desmitkārtējs	tenfold
simtkārtējs	hundredfold, centuple
pirmais	the first
otrais	the second
trešais	the third
ceturtais	the fourth
piektais	the fifth
sestais	the sixth
septītais	the seventh
astotais	the eighth
devītais	the ninth
desmitais	the tenth
vienpadsmitais	the eleventh
divpadsmitais	the twelfth
trīspadsmitais	the thirteenth
četrpadsmitais	the fourteenth
piecpadsmitais	the fifteenth
sešpadsmitais	the sixteenth
septiņpadsmitais	the seventeenth
astoņpadsmitais	the eighteenth

deviņpadsmitais	the nineteenth
divdesmitais	the twentieth
divdesmit pirmais	the twenty first
divdesmit otrais	the twenty second
trīsdesmit astotais	the thirty eighth
simtais	the hundredth
tūkstošais	the thousandth

tūkstoš deviņsimt septiņ-
   desmit devītais
	the one thousand nine hun-
	   dred seventy ninth

miljonais	the millionth
pirmkārt	firstly
otrkārt	secondly
treškārt	thirdly
ceturtkārt	fourthly
piektkārt	fifthly

DZĪVNIEKI, PUTNI, KOKI, OGAS, SĒNES

ANIMALS, BIRDS, TREES, BERRIES, MUSHROOMS

Mājdzīvnieki

Domestic Animals

aita	sheep
āzis	he-goat, billy-goat
cūka	pig
ērzelis	stallion
ēzelis	donkey
govs	cow
jērs	lamb
kaķis	cat
kaza	goat
kuilis	boar
kumeļš	colt
ķēve	filly, mare
sivēns	piglet
suns	dog
teļš	calf
trusis	rabbit
vērsis	ox
zirgs	horse

Savvaļas dzīvnieki

Wild Animals

alnis	elk
antilope	antelope
āpsis	badger

bebrs	beaver
bifelis	buffalo
bizons	bison
briedis	deer
cauna	marten
degunradzis	rhinoceros
delfīns	dolphin
ezis	hedgehog
hiēna	hyena
kalnu kaza	chamois
kamielis	camel
kurmis	mole
ķengurs	kangaroo
lācis	bear
lapsa	fox
lauva	lion
leopards	leopard
lūsis	lynx
meža cūka	wild boar
nīlzirgs	hippopotamus
pērtiķis	monkey
ronis	seal
sesks	polecat
sikspārnis	bat
stirna	doe, roe
skunkss	skunk
sumbrs	aurochs
šakālis	jackal
tīģeris	tiger
ūdele	mink
ūdris	otter
valis	whale
valzirgs	walrus
vāvere	squirrel
vilks	wolf
zaķis	hare
zebiekste	weasel

zilonis	elefant
žirafe	giraffe

Mājputni

Domestic Birds

gailis	cock
pīle	duck
tītars	turkey
vista	hen
zoss	goose

Meža putni

Wild Birds

balodis	pigeon, wood-pigeon
bezdelīga	swallow
cīrulis	lark
dzeguze	cuckoo
dzenis	woodpecker
dzērve	crane
ērglis	eagle
fazāns	pheasant
gārnis	heron
grieze	corn-crake
gulbis	swan
irbe	partridge
kaija	seagull
kovārnis	daw
krauklis	raven
krauķis	rook
lakstīgala	nightingale
lija	harrier
mednis	wood grouse
melnais strazds	blackbird
meža irbe	hazel-grouse
paipala	quail

papagailis	parrot
pāvs	peacock
pelēkais strazds	mistletoe-thrush
pelikāns	pelican
piekūns	falcon
pingvīns	penguin
pūce	owl
rubenis	health-cock
sīlis	jay
stārķis	stork
stērste	yellow-hammer
strauss	ostrich
strazds	thrush
ūpis	eagle-owl
vanags	hawk
vārna	crow
zīlīte	titmouse
zvirbulis	sparrow
žagata	magpie

Rāpuļi un abinieki

Reptiles and Amphibians

aligators	alligator
bruņurupucis	tortoise
jūras —	turtle
čūska	snake
hameleons	chameleon
klaburčūska	rattlesnake
kobra	cobra
krokodils	crocodile
krupis	toad
ķirzaka	lizard
odze	adder
tritons	triton, newt
varde	frog

zalktis — **grass-snake**
žņaudzējčūska — **constrictor**

Kukaiņi — **Insects**

bite — **bee**
blakts — **bug**
blusa — **flea**
circenis — **cricket**
dundurs — **gadfly**
ērce — **mite, tick**
kamene — **bumble-bee**
kode — **moth**
lapsene — **wasp**
maijvabole — **cockchafer**
mārīte — **ladybird**
muša — **fly**
ods — **mosquito**
sienāzis — **grasshopper**
sisenis — **locust**
skudra — **ant**
spāre — **dragonfly**
taurenis — **butterfly**
uts — **louse**
vabole — **beetle**
zirneklis — **spider**

Koki — **Trees**

akācija — **acacia**
alksnis — **alder**
apse — **asp, aspen**
baltegle — **white fir**
bērzs — **birch**
dižskābardis — **beech**

egle	fir
goba	elm
kastaņa	chestnut
kļava	maple
lapegle	larch
lazda	nut-tree, hazel-tree
liepa	lime, linden
osis	ash
ozols	oak
paeglis	juniper
papele	poplar
pīlādzis	mountain ash
priede	pine
riekstkoks	nut-tree
vīksna	elm-tree
vītols	willow

Meža ogas / Wild Berries

avenes	raspberries
brūklenes	red bilberries
dzērvenes	cranberries
kazenes	blackberries, brambleberries
lācenes	cloudberries
mellenes	bilberries
zemenes	strawberries

Sēnes / Mushrooms

apšu beka	orange-cap boletus
atmatene	field mushroom
baravika	cep, boletus
beka	boletus
bērzlape	russula

celmene	honey agaric
cūcene	peppery milkcap
gailene	chanterelle
krimilde	milk-agaric
lācpurns	morel
mušmire	toadstool
piepe	tree-fungus
pūpēdis	puff ball
rudmiese	saffron milk cap
sviestbeka	boletus luteus
šampinjons	champignon

ARITMĒTISKĀS DARBĪBAS

RULES OF ARITHMETIC

saskaitīšana
addition

Viens plus pieci ir seši.
One and (plus) five is six.

summa
sum

atņemšana
subtraction

Deviņi mīnus septiņi ir divi.
Nine minus seven is two.

mazināmais
minuend

starpība
difference

reizināšana
multiplication

Astoņreiz četri ir trīsdesmit divi.
Eight times four is thirty-two.

reizinājums
product

dalīšana
division

Divdesmit viens dalīts ar trīs ir septiņi.
Twenty-one divided by three is seven.

dalāmais
dividend

dalītājs
divisor

dalījums
quotient

ĢEOMETRISKIE JĒDZIENI

CONCEPTS OF GEOMETRY

aplis	circle
aploce	circumference
ass	axis
centrs	centre
cilindrs	cylinder
četrstūris	quadrangle
daudzskaldnis	polyhedron
daudzstūris	polygon
elipse	ellipse
konuss	cone
koordināta	co-ordinate
kubs	cube
kvadrāts	square
leņķis	angle
līnija	line
lauzta —	broken —
lode	sphere
paralelograms	parallelogram
paralēlskaldnis	parallelpiped
piramīda	pyramid
plakne	plane
prizma	prism
punkts	point
rombs	rhomb
taisne	straight line
taisnstūris	rectangle
trapece	trapezium
trijstūris	triangle

ĪPAŠĪBAS
Dimensijas

augsts
biezs
dziļš
īss
liels
mazs
plāns
plats
sekls
šaurs
zems

Apveidi

apaļš
iegarens
ieliekts
izliekts
lodveidīgs
ovāls
plakans
smails
taisns

Dažādas īpašības

apsūbējis
ass
auksts

PROPERTIES
Dimensions

high
dense
deep
short
big, large
small
thin
broad
shallow
narrow
low

Contours

round
oblong, oval
concave
convex
spherical
oval
flat
pointed
straight

Different Properties

tarnished
sharp
cold

biezs	thick
blīvs	compact
caurspīdīgs	transparent
ciets	hard, firm
elastīgs	elastic
gaistošs	volatile
gaišs	light
glīts	pretty
gluds	smooth
glums	slimy
irdens	loose
kalsns	lean
karsts	hot
kluss	still, quiet
krokots	gathered
līks	bent, crooked
līkumots	sinuous
lokans	flexible
matēts	patinated
mīksts	soft
mitrs	moist
neglīts	ugly
netīrs	dirty
pilns	full
plāns	thin
raupjš	rough
resns	stout, fat
sauss	dry
silts	warm
skaists	beautiful
skaļš	loud
slaids	slender, slight
slapjš	wet
slidens	slippery
smags	heavy
spīdīgs	shining
šķidrs	liquid

tievs	thin, slim
tīrs	clean
trausls	fragile
truls	blunt
tukšs	empty
tumšs	dark
ūdeņains	watery
vēss	cool
viegls	easy, light
viļņots	wavy

Izlasiet. Tas noderēs,
lietojot vārdnīciņu

Vārdnīciņā iekļauti tikai visbiežāk lietojamie vārdi. Dotas lietvārdu daudzskaitļu nekārtnās formas, piem., **child** *(pl* children) un nekārtno darbības vārdu *Past Indefinite* un *Past Participle* formas, piem., **eat** *(p* ate; *p. p.* eaten).

Ja pamatvārds atkārtojas piemēros nemainītā veidā, tas saīsināts, dodot sākuma burtu ar punktu, piem., **apartment** dzīvoklis; a. house — daudzdzīvokļu māja.

Homonīmi doti kā atsevišķi šķirkļi, apzīmējot ar [a], [b], [c], piem., **lie**[a] meli; **lie**[b] gulēt.

Ar pustrekniem romiešu cipariem apzīmētas dažādas vārdu šķiras, piem., **ban** I *n* aizliegums; II *v* aizliegt.

Ar pustrekniem arābu cipariem apzīmētas vārda dažādās nozīmes, piem., **assembly** *n* 1. sapulce; 2. asambleja; 3. montāža.

Saīsinājumi

a	— adjective
	īpašības vārds
adv	— adverb
	apstākļa vārds
amer.	— amerikānisms
biol.	— bioloģija
comp	— comparative degree
	pārākā pakāpe
conj	— conjunction
	saiklis
ek.	— ekonomika
el.	— elektrība
fiz.	— fizika
gram.	— gramatika
ģeogr.	— ģeogrāfija
inf.	— infinitive
	nenoteiksme
int.	— interjection
	izsauksmes vārds
jur.	— jurisprudence
med.	— medicīna
mil.	— militārs termins
mūz.	— mūzika
n	— noun
	lietvārds
num	— nùmeral
	skaitļa vārds
p	— past tense
	pagātne
partic	— particle
	partikula

piem.	— piemēram
pl	— plural
	daudzskaitlis
p. p.	— past participle
	pagātnes divdabis
prep	— preposition
	prepozīcija
pron	— pronoun
	vietniekvārds
saīs.	— saīsinājums
sar.	— sarunvalodā
sing	— singular
sp.	— sports
sup	— superlative degree
	vispārākā pakāpe
teātr.	— teātra termins
u. c.	— un citi
v	— verb
	darbības vārds

A a

aboard *adv* uz klāja
abroad *adv* ārzemēs; uz ārzemēm
abstainer *n* atturībnieks
abstract *a* abstrakts; a. art — abstraktā māksla
academic *a* akadēmisks
academician *n* akadēmiķis
academy *n* 1. akadēmija; 2. *(augstākā vai vidējā)* mācību iestāde
accelerator *n* akselerators, gāzes pedālis
accident *n* 1. nelaimes gadījums; avārija; 2. gadījums, nejaušība
accommodation *n* apmešanās vieta
accompaniment *n muz.* pavadījums
accompany *v* 1. pavadīt; 2. *mūz.* pavadīt
account *n* rēķins; konts
accountant *n* grāmatvedis
accumulator *n* akumulators
accuracy *n* rūpīgums; precizitāte
accurate *a* rūpīgs; precīzs
ache *n (smeldzošas)* sāpes
achievement *n* sasniegums
acid-break *n* narkomāns

acoustics *n* akustika
acquaint *v* iepazīstināt; to be ~ed with smb. — būt pazīstamam ar kādu
acre *n* akrs *(0,405 ha)*
act *n* likums, *(oficiāls)* lēmums
action *n* darbība
active *a* aktīvs, darbīgs
activities *n* nodarbošanās
actor *n* aktieris
actress *n* aktrise
actual *a* īsts; patiess; reāls
ad *n* reklāma
address *n* 1. adrese; 2. uzruna; runa
addressee *n* adresāts
administration *n* 1. pārvaldīšana; vadīšana; 2. *amer.* valdība
advance *n* avanss
advantage *n* priekšrocība
adventure *n* piedzīvojums
advertisement *n* reklāma; sludinājums
advice *n* padoms
advise *v* dot padomu; ieteikt
adviser *n* padomdevējs; konsultants
aerial *n* antena

affirm *v* apstiprināt

afraid *a* nobijies; to be a. *(of)* — baidīties *(no)*

afternoon *n* pēcpusdiena

aftershave *n* losjons, krēms *(pēc bārdas skūšanas)*

age *n* vecums

agency *n* aģentūra

agenda *n* *(sapulces)* darba *(dienas)* kārtība

agent *n* aģents; pārstāvis

a-go-go *n* diskotēka

agrarian *a* agrārs

agree *v* piekrist

agreement *n* vienošanās, līgums

agriculture *n* lauksaimniecība

agronomist *n* agronoms

aid *n* palīdzība

AIDS *n* AIDS *(iegūtā imūndeficīta sindroms)*

air *n* gaiss

air-conditioning *n* gaisa kondicionēšana

aircraft *n* 1. lidmašīna; 2. aviācija

airline *n* aviolīnija

airmail *n* gaisa pasts

airport *n* lidosta

a la carte *a, adv* ēdienkarte *(kurā katram atsevišķam ēdienam uzrādīta cena)*

alimony *n* alimenti

alley *n* 1. šaura ieliņa; 2. aleja

allow *v* 1. atļaut; 2. pieļaut

allowance *n* *(naudas)* pabalsts

all-round *a* vispusīgs, daudzpusīgs

altar *n* altāris

always *adv* vienmēr

ambassador *n* sūtnis

amber *n* dzintars

ambulance *n* ātrās palīdzības mašīna

American I *n* amerikānis; amerikāniete; **II** *a* amerikāņu-; amerikānisks

amplifier *n* pastiprinātājs

analyse *v* analizēt

ancient *a* sens; antīks

anniversary *n* gadadiena

announcement *n* sludinājums; paziņojums

annual *a* ikgadējs

anorak *n* silta jaka ar kapuci

another *pron* cits

answer I *n* atbilde; **II** *v* atbildēt

ante meridiem (a.m.) *adv* no rīta, priekšpusdienā

anthem *n* himna

anxious *a* norūpējies; nobažījies

any *pron* kāds

apartment *n* amer. dzīvoklis; a. house — daudzdzīvokļu māja

apologize *v* atvainoties

apology *n* atvainošanās

apostle *n* apustulis

appearance *n* izskats; āriene

appendicitis *n med.* apendicīts

appetite *n* apetīte, ēstgriba

appetizer *n* uzkožamais

applaud *v* aplaudēt

applause *n* aplausi

apple *n* ābols

application *n* lietošana

appreciate *v* novērtēt

approximate *a* aptuvens

April *n* aprīlis

Arab I *n* arābs; arābiete; II *a* arābu-

arch *n* arka; velve

architecture *n* arhitektūra

area *n* 1. laukums; platība; 2. rajons; apgabals

arm[a] *n* roka *(no pleca līdz plaukstai)*

arm[b] *(parasti pl)* ieroči

armament *n* bruņošanās

armchair *n* atzveltnes krēsls

army *n* armija

arrest *n* arests

arrival *n* ierašanās; atbraukšana

art *n* māksla; amateur a. — mākslinieciskā pašdarbība

article *n* raksts

artificial *a* mākslīgs

artists *n* mākslinieks

ash *n* osis

ashtray *n* pelnu trauks

Asiatic I *n* aziāts; aziāte; II *a* aziātisks

ask *v* 1. jautāt; 2. lūgt

asp *n* 1. apse; 2. odze

asparagus *n* sparģelis

aspect *n* aspekts; viedoklis

aspirin *n* aspirīns

assembly *n* 1. sapulce; 2. asambleja; 3. montāža

assessor *n* nodokļu inspektors

assistance *n* palīdzība; atbalsts

assistant *n* palīgs; asistents

association *n* asociācija; apvienība

athlete *n* sportists

asthma *n* astma

atom *n* atoms

attaché *n* atašejs

attention *n* uzmanība

attic *n* bēniņi

attorney *n* advokāts; A. General — 1) ģenerālprokurors; 2) *amer.* tieslietu ministrs

attractive *a* pievilcīgs

auction *n* ūtrupe, izsole

audience *n* 1. skatītāji; klausītāji; 2. audience, pieņemšana

August *n* augusts

aunt *n* krustmāte

Australian I *n* austrālietis; austrāliete; II *a* austrāliešu-

author *n* autors; rakstnieks

authority *n* 1. vara; 2. *pl* varas orgāni; 3. autoritāte *(speciālists);* 4. pilnvara

auto-timer *n* automātisks laika regulētājs

autumn *n* rudens

avenue *n* avēnija, prospekts

average *a* caurmēra-; vidējs

award *n* godalga

B b

baby *n* bērns; mazbērns

bachelor *n* 1. vecpuisis; 2. bakalaurs

back *n* mugura

backbone *n* mugurkauls

bad *a* slikts

baddie *n* ļaundaris, negatīvais tēls

badge *n* nozīme; žetons

bag *n* soma

baggage *n amer.* bagāža

baker's *n* maizes veikals

balance *n* līdzsvars; b.-sheet — bilance

ball *n* bumba; kamols

ballot *n* vēlēšanu biļetens

ball-point pen *n* lodīšu pildspalva

ban I *n* aizliegums; II *v* aizliegt

bandage I *n* pārsējs; II *v* pārsiet

bank *n* banka

bank-bill *n* bankas vekselis

banker *n* baņķieris

banknote *n* bankas vekselis

banquet *n* bankets

bar *n* 1. *(bufetes)* lete; 2. bārs

barbecue *n* 1. *(uz restēm)* cepta gaļa; 2. piknika

barber *n (vīriešu)* frizieris

barkeeper *n* bārmenis

barrister *n* advokāts

baseball *n* beisbols

basis *n* pamats

basketball *n* basketbols

bath *n* vanna; pelde

bathe *v* peldēties

bathing-suit *n* peldkostīms

bathroom *n* vannas istaba

bathtub *n* vanna

battery *n el.* baterija

be *v* 1. būt, pastāvēt; 2. būt, atrasties; 3. būt, notikt

beach *n* pludmale

beard *n* bārda

beautiful *a* skaists

become *v* 1. kļūt, tapt; 2. notikt

bed *n* gulta

bed-clothes *pl n* gultas veļa

bedroom *n* guļamistaba
beef *n* liellopu gaļa
beef-tea *n* liellopu gaļas buljons
beefsteak *n* bifšteks
beer *n* alus
beforehand *adv* iepriekš
beginning *n* sākums
believe *v* 1. ticēt; 2. domāt; uzskatīt
bell *n* zvans
bellboy *n* izsūtāmais zēns *(viesnīcā)*
belong *v* piederēt
belt *n* josta; siksna
benediction *n* svētība
benefit *n* pabalsts
bet *n* derības
berry *n* oga
Bible *n* bībele
bicycle *n* velosipēds
big *a* liels
bilberry *n* mellene; red b. — brūklene
bill *n* 1. likumprojekts; 2. rēķins; 3. saraksts; b. of fare — ēdienkarte; 4. afiša; 5. *amer.* banknote
billiards *n* biljards
billion *n* *amer.* miljards
biography *n* biogrāfija
birch *n* bērzs
birthday *n* dzimšanas diena
biscuit *n* cepums
bishop *n* bīskaps
bitter *a* rūgts

bladder *n* pūslis
black I *a* 1. melns; 2. melnādains; II *n* B. — nēģeris; nēģeriete
blanket *n* sega
blind *a* akls; b.-man's-buff — aklās vistiņas
blister *n* tulzna, čulga
blond I *n* gaišmatis; II *a* blonds, gaišmatains
blood *n* asinis
bloom *v* ziedēt
blouse *n* blūze
blow-out *n* 1. riepas plīsums; 2. drošinātāja pārdegšana
blue *a* gaišzils
board[a] *v* uzkāpt *(uz kuģa);* iekāpt *(lidmašīnā)*
board[b] *n* valde; padome
boarding-house *n* pansija
boarding-pass *n* iekāpšanas talons
boarding-school *n* internātskola
boat *n* laiva; kuģis
body *n* ķermenis
bodyguard *n* miesassargs
bonus *n* prēmija
book I *n* grāmata; II *v* pasūtīt; nopirkt *(biļeti)*
booking-office *n (transporta)* biļešu kase; advance b.-o. — biļešu iepriekšpārdošanas kase
book-keeper *n* grāmatvedis

booklet *n* brošūra

bookshop *n* grāmatveikals

boot *n* 1. zābaks; 2. *(automašīnas)* bagāžnieks

border *n* robeža

borough *n* pilsētas rajons

boss *n* vadītājs, saimnieks

bother *v* apgrūtināt; traucēt

bottle *n* pudele

boulevard *n* bulvāris

box *n* 1. kārba; kaste; 2. *teātr.* loža

box-office *n (teātra)* kase

boy *n* zēns; puisis

boyfriend *n* draugs; pielūdzējs

brain *n* smadzenes

brake *n* bremze

branch *n* 1. zars; 2. nozare; 3. filiāle

brand *n* šķirne *(par cigaretēm, dzērieniem utt.)*

brandy *n* brendijs, konjaks

bread *n* maize

break *n* pārtraukums, starpbrīdis

breakdown *n* 1. avārija; 2. sabrukums; nervous b. — nervu sabrukums

breakfast *n* brokastis

breast *n* krūts; krūtis

breathe *v* elpot

bride *n* līgava; jaunlaulātā

bridegroom *n* līgavainis; jaunlaulātais

bridge *n* tilts

brief *a* īss

bright *a* spilgts

bring *v* atnest; atvest

British I *n :* the B. — briti, angļi; II *a* britu-, angļu-

broad *a* plats

broadcast I *n* radiopārraide; II *v* pārraidīt pa radio

brother *n* brālis

brother-in-law *n* svainis

brown *a* brūns

brunch *n* vēlās brokastis

brush *n* suka

budget *n* budžets

buffet *n* bufete, bārs

building *n* 1. celtne, ēka; 2. celtniecība

bun *n* smalkmaizīte

bureau *n* birojs

bus *n* autobuss

business *n* 1. nodarbošanās; profesija; 2. darīšanas

busker *n* ielas muzikants

busy *a* aizņemts; nevaļīgs

butcher *n* miesnieks; the ~'s — gaļas veikals

butter *n* sviests

button *n* 1. poga; 2. *(kontakta, zvana)* poga

buy *v* pirkt

bye-bye *int sar.* paliec sveiks!

bypass *n* apvedceļš

bystreet *n* sāniela

257

C c

cab *n* taksometrs
cabbage *n* kāposti
cabin *n* kajīte
café *n* kafejnīca
cake *n* kūka; torte
calculator *n* kalkulators
calendar *n* kalendārs
call I *n* **1.** izsaukums; **2.** apmeklējums; **3.** telefona saruna; **II** *v* **1.** [pa]saukt; **2.** nosaukt; **3.** piezvanīt *(pa telefonu)*
call-box *n* telefona kabīne
call-in *n* *(radio, televīzijas)* programma «zvaniet-atbildam»
camera *n* **1.** fotoaparāts; **2.** kinokamera; kinoaparāts
campus *n* universitātes (skolas) teritorija
can *n* **1.** kanna; **2.** konservu kārba
Canadian I *n* kanādietis; kanādiete; **II** *a* kanādiešu-
canal *n* *(mākslīgi veidots)* kanāls
cancer *n* med. vēzis
candidate *n* kandidāts
candle *n* svece
candy *n* amer. konfektes; saldumi

can-opener *n* konservu kārbu atgriežamais
canvas *n* glezna; audekls
cap *n* cepure; žokejcepure
capacity *n* tehn. jauda
cape *n* zemesrags
capital *n* **1.** kapitāls; **2.** galvaspilsēta
car *n* **1.** automašīna; **2.** *(tramvaja, amer. arī dzelzceļa)* vagons
caravan *n* autofurgons
card *n* **1.** *(spēļu)* kārts; **2.** karte; calling c. — vizītkarte; invitation c. — ielūgums; credit c. — kredītkarte
cardigan *n* vilnas jaka
careful *a* **1.** rūpīgs; gādīgs; **2.** piesardzīgs; uzmanīgs
carnation *n* neļķe
carpenter *n* namdaris
carpet *n* paklājs
carriage *n* vagons *(pasažieru)*
carrot *n* burkāns
carry *v* **1.** vest; pārvadāt; **2.** nest; iznēsāt
cartoon *n* **1.** karikatūra; **2.** multiplikācijas filma
carver *n* **1.** kokgriezējs; **2.** gravieris
case[a] *n* **1.** gadījums; **2.** *jur.* lieta

case[b] futrālis; maksts
cash *n* 1. nauda; to pay in c. — maksāt skaidrā naudā
cashier *n* kasieris
cassette *n* kasete
castle *n* pils
cat *n* kaķis
cataloque *n* katalogs
catch *v* 1. noķert; saķert; 2. pagūt; paspēt
cathedral *n* katedrāle
catholic I *n* katolis; II *a* katoļu
cattle *n* liellopi
cause *n* cēlonis
ceiling *n* griesti
celebration *n* svinības
cemetery *n* kapsēta
cent *n* cents
century *n* gadsimts
ceramics *n* keramika
certificate *n* apliecība
chair *n* 1. krēsls; 2. katedra
chairman *n* priekšsēdētājs
chamber *n* *(parlamenta)* palāta
champagne *n* šampanietis
champion *n* čempions
chance *n* 1. gadījums; nejaušība; 2. iespēja; izdevība
change I *n* 1. sīknauda; *(mainot)* izdotā nauda; 2. pārsēšanās *(citā satiksmes līdzeklī)*; II *v* 1.

izmainīt *(naudu)*; 2. pārsēsties *(citā satiksmes līdzeklī)*
channel *n* 1. jūras šaurums; 2. kanāls
chapter *n* *(grāmatas)* nodaļa
character *n* raksturs
characteristic *a* raksturīgs
cheap *a* lēts
check *n* 1. kontrole; pārbaude; 2. *amer.* čeks
check-in *n* reģistrācija *(lidostā)*
check-out *n* kontrole *(pie izejas pašapkalpes veikalā)*
cheek *n* 1. vaigs; 2. nekaunība
cheerio *int sar.* 1. uz jūsu veselību!; 2. visu labu!
cheese *n* siers
chemical *a* ķīmisks; ķīmijas-
chemist *n* 1. ķīmiķis; 2. aptiekārs
chemistry *n* ķīmija
cheque *n* čeks; to cash a ch. — saņemt naudu pret čeku
cheque-book *n* čeku grāmatiņa
cherry *n* ķirsis
chest *n* *anat.* krūšukurvis
chicken *n* 1. cālis; 2. vista *(ēdiens)*
chickenpox *n* vējbakas

chief *n* vadītājs; priekš-
nieks; šefs
child (*pl* children) *n* bērns
childhood *n* bērnība
chin *n* zods
china *n* porcelāns
choice *n* izvēle
choose *v* izvēlēties
chopsticks *n* ēdamie irbuļi
(*ķīniešiem, japāņiem*)
chorus *n* koris
Christian I *n* kristietis;
kristiete; II *a* kristīgs;
Ch. name — [priekš]
vārds
Christmas *n* Ziemsvētki
Christmas-tree *n* Ziem-
svētku eglīte
church *n* baznīca; ch. ser-
vice — dievkalpojums
cigarette *n* cigarete; pa-
piross
cinema *n* 1. kino, kinema-
togrāfija; 2. kinoteātris
cinnamon *n* kanēlis
circle *n* 1. riņķis; aplis; 2.
teātr. balkons
circus *n* cirks
citizen *n* pilsonis
citizenship *n* pavalstniecī-
ba
city *n* lielpilsēta
civil *a* pilsoņu-; c. rights—
pilsoņtiesības
clasp-knife *n* savāžamais
nazis

class *n* 1. *pol.* šķira; 2.
grupa, kategorija
classic I *n* klasiķis; II
a klasisks
clean I *a* tīrs; II *v* tīrīt;
spodrināt
clear *a* 1. skaidrs; 2.
dzidrs; caurspīdīgs
clergyman *n* garīdznieks
clerk *n* ierēdnis; kantora
darbinieks
clever *a* gudrs
client *n* 1. klients; 2. (*pas-
tāvīgs*) pircējs
climate *n* klimats
cloakroom *n* ģērbtuve
clock *n* (*galda, sienas, tor-
ņa*) pulkstenis
close *a* tuvs
closing-time *n* (*veikalu,
iestāžu*) slēgšanas laiks
cloth *n* audums
clothes *pl n* apģērbs; drēbes
cloud *n* mākonis
club *n* klubs
coach *n* 1. (*pasažieru*) va-
gons; 2. (*tūristu*) au-
tobuss; 3. treneris
coast *n* (*jūras*) krasts;
piekraste
coat *n* 1. mētelis; 2. (*sie-
viešu*) kostīmjaka
coca-cola *n* kokakola
cocktail *n* kokteilis
cocoa *n* kakao
coconut *n* kokosrieksts
coffee *n* kafija

cognac *n* konjaks

coin *n* monēta; small c. — sīknauda

cold I *n* 1. aukstums; 2. saaukstēšanās; II *a* auksts

collaborate *v* sadarboties

collar *n* apkakle; apkak-līte

colleague *n* kolēģis; kolēģe

collection *n* kolekcija

collective *a* kolektīvs

college *n* koledža

colour *n* krāsa

comb *n* ķemme

combination *n* kombinā-cija

come *v* atnākt; atbraukt

comedy *n* komēdija

comfortable *a* ērts; kom-fortabls

comic strip *n* sērijveida komikss *(avīzē)*

commercial I *n* reklāmrai-dījums; II *a* tirdzniecī-bas-; c. treaty — tirdz-niecības līgums

commission *n* komisija

committee *n* komiteja; ko-misija

communicate *v* 1. *(to)* pa-ziņot; darīt zināmu; 2. sazināties

communication *n* 1. pazi-ņojums; 2. sakari; sa-tiksme

community *n* sabiedrība

company *n* sabiedrība; kompānija

compartment *n* 1. nodalī-jums; 2. kupeja

competition *n* 1. sacensība; sacīkstes; 2. konkuren-ce; 3. konkurss

complaint *n* sūdzība

complete *a* pilns; pilnīgs

complexion *n* sejaskrāsa

composer *n* komponists

compound *a* salikts

compulsory *a* obligāts

computer *n* skaitļotājs; kompjūters; dators

concert *n* koncerts

conclude *v* 1. pabeigt; 2. noslēgt; to c. a treaty — noslēgt līgumu

condition *n* noteikums, nosacījums

condolence *n* līdzjūtība

conduct *v* 1. vadīt; 2. diriģēt

conductor *n* 1. konduk-tors; 2. diriģents

confectionery *n* 1. kondi-toreja; 2. konditorejas izstrādājumi

conference *n* konference, apspriede

confession *n* grēksūdze

confirmation *n* apstiprinā-jums

conflict *n* konflikts; sadur-sme

congratulate *v* *(on, upon)* apsveikt *(ar)*

0

congratulation *n* **1.** apsveikšana; **2.** *(parasti pl)* apsveikums
congress *n* kongress
connect *v* savienot; saistīt
connection *n* **1.** savienojums; **2.** sakars; saistība
conquest *n* **1.** iekarošana; **2.** iekarojums
consent I *n* piekrišana; II *v* piekrist
consider *v* apsvērt; apdomāt
constitution *n* konstitūcija
construction *n* **1.** celtniecība, būvniecība; **2.** celtne; **3.** konstrukcija
consul *n* konsuls
consulate *n* konsulāts
consult *v* konsultēties; to c. a doctor — griezties pie ārsta; to c. a dictionary — meklēt [vārdu] vārdnīcā
consultation *n* konsultācija
consume *v* patērēt
consumer *n* patērētājs
contact *n* kontakts; saskare; c. lenses — kontaktlēcas
continent *n* kontinents
contraceptive *n* pretapauglošanas līdzeklis
contract *n* kontrakts, līgums
control *n* **1.** vadība; **2.** kontrole; pārbaude

convenient *a* ērts; piemērots
conversation *n* saruna
conviction *n* pārliecība
cook I *n* pavārs; ķēkša; II *v* **1.** vārīt; gatavot ēdienu; **2.** vārīties
cookies *pl n amer.* cepumi
cool *a* **1.** vēss; dzestrs **2.** mierīgs; nosvērts
co-operation *n* **1.** sadarbība; **2.** kooperācija
co-operative *n* kooperatīvs
copy-book *n* burtnīca
copyright *n* autortiesības
correspondent *n* korespondents
cosmetic I *n pl* kosmētika; II *a* kosmētisks
cosmonaut *n* kosmonauts
cost *n* cena; vērtība
cottage *n* kotedža; vasarnīca
cotton I *n* **1.** kokvilna; **2.** kokvilnas audums; II *a* kokvilnas-
cotton-wool *n* vate
couch *n* tahta; kušete
cough I *n* klepus; II *v* klepot
council *n* padome; town c. — municipalitāte
counter *n* lete
country *n* zeme; valsts
country-house *n* **1.** lauku māja *(īpašums)*; **2.** ārpilsētas māja; vasarnīca

couple *n* pāris

course *n* 1. kurss; virziens; 2. *(lekciju, apmācību)* kurss

cover *n* 1. pārvalks; pārsegs; 2. vāks

cow *n* govs

crab *n* krabis, jūras vēzis

cracker *n* sauss cepums

crash *n* avārija, katastrofa

crayfish *n (upes)* vēzis

cream *n* 1. *(saldais)* krējums; sour c. — skābais krējums; 2. krēms

creation *n* 1. radīšana; 2. *(mākslas)* darbs

creative *a* radošs

crew *n* komanda *(apkalpe)*

cricket *n* krikets

crisis *(pl* crises) *n* krīze

critic *n* kritiķis

crossing *n* 1. krustojums; šķērsojums; 2. *(ielas, dzelzceļa)* pāreja; pārbrauktuve

crossroads *n* ceļu krustojums

cruise *n* jūras brauciens

cucumber *n* gurķis

culture *n* kultūra

cup *n* 1. tase; 2. kauss

curds *pl n* biezpiens

currency *n* valūta; nauda

custom *n* 1. paraža; 2. ieradums; 3. *pl* muitas nodoklis, muita; c. inspection — muitas kontrole

customer *n* pircējs, klients

custom-house *n* muitnīca

D d

dad, daddy *n sar.* tētis

daily I *n* dienas avīze; II *a* ikdienas-

dairy *n* piena veikals

damp *a* mitrs; drēgns

dance I *n* deja; II *v* dejot

dancer *n* dejotājs; dejotāja

danger *n* briesmas

dangerous *a* bīstams

dark *a* tumšs

date *n* datums

daughter *n* meita

daughter-in-law *n* vedekla

day *n* diena

dead *a* miris; nedzīvs

deadline *n* pēdējais [izpildes] termiņš

deaf *a* kurls

deaf-and-dumb *a* kurlmēms

deal *n* darījums; vienošanās

dealer *n (biržā, tirdznie-cībā)* dīlers
dean *n* dekāns
dear *a* 1. dārgs; mīļš; 2. dārgs; vērtīgs
death *n* nāve
debate *n* diskusija; debates
debt *n* parāds
December *n* decembris
decision *n* lēmums
deck *n (kuģa)* klājs
declaration *n* paziņojums; deklarācija
declare *v* paziņot; deklarēt
deep *a* dziļš
defect *n* defekts; trūkums
defective *a* 1. nepilnīgs; nepilnvērtīgs; 2. bojāts
definition *n* definīcija
degree *n* 1. grāds; 2. pakāpe; 3. *(zinātnisks)* grāds
delegate *n* delegāts
delegation *n* delegācija
delicious *a* 1. brīnišķīgs; 2. gards
deliver *v* piegādāt *(pastu, preces)*
delivery *n (pasta, preču)* piegāde
demand *n* 1. prasība; 2. *ek.* pieprasījums
democracy *n* demokrātija
democratic *a* demokrātisks
demographic *a* demogrāfisks
demonstration *n* demonstrācija

dentist *n* zobārsts
denture *n* zobu protēze
deodorant *n* dezodorants
department *n* 1. nodaļa; d. store — universālveikals; 2. resors; departaments; 3. *amer.* ministrija; 4. fakultāte
departure *n* 1. aiziešana; aizbraukšana; 2. *(vilciena)* atiešana
dependence *n* atkarība
deposit *n* noguldījums *(bankā)*
deputy *n* 1. vietnieks; 2. deputāts
description *n* apraksts
desert *n* tuksnesis
design *n* 1. projekts; plāns; 2. zīmējums; raksts; 3. nodoms; iecere
designer *n* projektētājs; konstruktors
desire I *n* vēlēšanās; II *v* vēlēties
desk *n* 1. rakstāmgalds; 2. *(skolas)* sols
deskman *n* administratīvs darbinieks
dessert *n* saldais ēdiens
détente *n (starptautiskā)* saspīlējuma mazināšana
detergent *n* mazgāšanas līdzeklis
determination *n* noteikšana

development *n* 1. attīstība; 2. izveide

device *n* ierīce; mehānisms

diagnosis *n* diagnoze

dial *n* 1. ciparnīca; 2. *(telefona aparāta)* ciparripa

diamond *n* dimants; briljants

diaper *n (bērna)* autiņš

dictate *v* diktēt

dictatorship *n* diktatūra

dictionary *n* vārdnīca

diet *n* diēta

different *a* 1. atšķirīgs; citāds; 2. dažāds

difficult *a* grūts; smags

dine *v* pusdienot

diner *n amer.* restorānvagons

dining-car *n* restorānvagons

dinner *n* pusdienas

diploma *n* diploms

diplomat *n* diplomāts

diplomatic *a* diplomātisks

direct *a* tiešs

direction *n* 1. virziens; 2. norādījums; instrukcija

disagree *v* nebūt vienisprātis; nepiekrist

disaster *n* posts; nelaime

disc *n* 1. disks; 2. skaņuplate

discharge *v* atbrīvot *(no darba)*

discipline *n* disciplīna

disco *n sar.* diskotēka

discount *n (cenas)* atlaide

discovery *n* atklājums

discussion *n* apspriešana; pārrunas; diskusija

disease *n* slimība

dish *n* 1. bļoda; šķīvis; 2. ēdiens

disk *sk. disc*

display *n (preču)* izstāde

dissertation *n* disertācija

distance *n* attālums; distance

distribute *v* izdalīt; sadalīt

distribution *n* sadalīšana; sadale

district *n* rajons; apgabals

disturb *v* traucēt

divorce *n* laulības šķiršana; šķiršanās

doctor *n* 1. ārsts; 2. doktors *(zinātnisks grāds)*

document *n* dokuments

documentary *n* dokumentāla filma

dollar *n* dolārs

door-keeper *n* šveicars

dorm *n* 1. guļamistaba; 2. studentu kopmītne

double *a* divkāršs, dubults

double-decker *n* divstāvīgais autobuss

doughnut *n* virtulis

down *adv* uz leju, lejup

downstairs *adv* 1. lejup *(pa kāpnēm)*; 2. lejā; apakšējā stāvā

downtown *n amer. (pilsē-
tas)* centrs
draft *n* projekts
draught *n* caurvējš
drawer *n* atvilktne
drawing *n* 1. zīmēšana;
2. zīmējums
dream *n* sapnis
dress *n* tērps; kleita
dress-circle *n (teātrī)* be-
letāža
dressing *n* 1. ģērbšanās; 2.
pārsienamais materiāls;
3. *(salātu)* mērce
dressing-gown *n* rītasvārki
dressmaker *n* šuvēja
drink *n* 1. dzēriens; soft
~s — bezalkoholiskie
dzērieni; 2. strong d. —
alkoholisks dzēriens
drive I *n* izbraukums *(au-
tomašīnā)*; II *v* 1. braukt
(automašīnā); 2. vadīt
(automašīnu)
drive-in *n* 1. restorāns au-
tomobilistiem; 2. kino
automobilistiem

driver *n* autovadītājs,
braucējs
drugstore *n amer.* aptie-
kas veikals
drum *n* bungas
drunk *a* piedzēries
dry *a* sauss
dry-cleaners *n* ķīmiskā tī-
rītava
dub *v* dublēt *(filmu)*
duck *n* pīle
dues *pl n* 1. nodoklis; cus-
tom d. — muitas no-
doklis; 2. biedru nauda
duplicate I *n* dublikāts;
kopija; II *v* izgatavot
kopiju
duration *n* ilgums
duty *n* 1. pienākums; 2.
dienests; dežūra; 3. no-
doklis
duty-free *a* bezmuitas, ne-
muitojams
dwelling-house *n* dzīvoja-
mais nams

E e

eagle *n* ērglis
ear *n* auss
early I *a* agrs; II *adv* agri
earn *v* nopelnīt

ear-phones *n* radioaustiņas
ear-ring *n* auskars
earth *n* zeme
east *n* austrumi

eastern *a* austrumu-
easy *a* viegls; viegli vei-
cams
eat *(p* ate; *p. p.* eaten) *v* ēst
ecology *n* ekoloģija
economic *a* ekonomisks
economics *n* ekonomika
economy *n* saimniecība,
ekonomika
editor *n* redaktors
editorial *n* ievadraksts
educate *v* audzināt; izglītot
education *n* izglītība
effect *n* 1. sekas; rezultāts;
2. iespaids; efekts
effective *a* 1. efektīvs, ie-
darbīgs; 2. efektīgs
efficiency *n* efektivitāte,
iedarbīgums
efficient *n* efektīvs, iedar-
bīgs
egg *n* ola
eggplant *n* baklažāns
Egyptian I *n* ēģiptietis;
ēģiptiete; II *a* ēģiptiešu-
eight *num* astoņi
eighteen *num* astoņpa-
dsmit
eighty *num* astoņdesmit
elbow *n* elkonis
elder *(comp no* old) *a* ve-
cāks
elderly *a* pavecs, padzīvojis
eldest *(sup no* old) *a* vis-
vecākais
elect *v* vēlēt; ievēlēt
election *n* vēlēšanās

elector *n* vēlētājs
electric *a* elektrisks
electrician *n* elektrotehni-
ķis
electricity *n* elektrība
electronic *a* elektronu-;
elektronisks; e. compu-
ter — elektroniskais
skaitļotājs; dators
electronics *n* elektronika
elephant *n* zilonis
elevator *n amer.* lifts
eleven *num* vienpadsmit
E-mail *n* elektroniskais
pasts
embankment *n (izbūvēta)*
krastmala
embassy *n* sūtniecība
emergency *n* neparedzēts
gadījums; kritisks stā-
voklis
employ *v* 1. nodarbināt;
2. izmantot; lietot
employee *n* kalpotājs
employment *n* nodarbinā-
tība; darbs
empty *a* tukšs
end *n* 1. gals; beigas; 2.
mērķis; nolūks
energy *n* enerģija
engagement *n* saderināša-
nās
engine *n* motors; dzinējs
engineer *n* inženieris
English I *n* 1. angļu va-
loda; 2.: the E. — an-
gļi; II *a* angļu

Englishman *n* anglis
Englishwoman angliete
engraving *n* gravējums, gravīra
enter *v* 1. ieiet, ienākt; 2. iestāties *(piem., skolā)*
enterprise *n* 1. pasākums; 2. uzņēmība; 3. uzņēmums
entertainment *n* laika kavēklis; izklaidēšanās
entrance *n* ieeja
entrepreneurship *n* uzņēmējdarbība
envelope *n* aploksne
environment *n* apkārtne; apkārtējā vide
equipment *n* iekārta; piederumi
eraser *n* dzēšgumija
error *n* kļūda; maldīšanās
essential *a* būtisks
estimate *n* tāme
Estonian I *n* 1. igaunis; igauniete; 2. igauņu valoda; II *a* igauņu-
etching *n* gravīra; oforts
European I *n* eiropietis; eiropiete; II *a* ieropiešu-
evening *n* vakars
event *n* notikums; gadījums
every *pron* katrs
everybody *pron* ikviens; visi
everyday *a* ikdienas-; parasts

everyone *pron* ikviens; visi
everything *pron* viss
everywhere *adv* visur
evidence *n* pierādījums; liecība
exact *a* precīzs; noteikts
examination *n* eksāmens
examine *n* apskatīt; izmeklēt
example *n* piemērs
exceed *v* pārsniegt
exchange *n* apmaiņa; rate (course) of e. — valūtas kurss
excursion *n* ekskursija
executive I *n* izpildvara; izpildorgāns; II *a* izpildu-; e. committee — izpildkomiteja
exhibit I *n* eksponāts; II *v* eksponēt; izstādīt
exhibition *n* izstāde
expensive *a (par cenu)* dārgs
experience *n* pieredze
experienced *a* pieredzējis; piedzīvojis
experiment *n* eksperiments, mēģinājums
experimental *a* eksperimentāls
expert I *n* eksperts; lietpratējs; II *a* kvalificēts; lietpratīgs
expire *v (par termiņu)* izbeigties

explain v paskaidrot; izskaidrot
explanation n paskaidrojums; izskaidrojums
export I n eksports; II v eksportēt
exposure n ekspozīcija
express n ekspresis, ātrvilciens

external a ārējs
extra a papildu-
eye n acs
eyebrow n uzacs
eyelash n skropsta
eyelid n plakstiņš
eye-shadow n plakstiņu grims
eyesight n redze

F f

fabric n drāna, audums
face n seja
face-lift n kosmētiska sejas ādas operācija
fact n fakts
faction n pol. frakcija
factory n fabrika; rūpnīca
faculty n fakultāte
fair n gadatirgus
faith n 1. ticība; paļāvība; 2. ticība; konfesija
fall I n 1. krišana; kritiens; 2. amer. rudens; II v (p. fell; p.p. fallen) krist
family n ģimene
famous a slavens; ievērojams
fan n 1. ventilators; 2. sar. līdzjutējs
fancy-ball n maskuballe
far I n tāls; II adv tālu
fare n braukšanas maksa
farina n manna

farm n ferma; lauku mājas
farmer n fermeris
fashion n mode
fashionable a moderns
fashion-paper n modes žurnāls
fast a ātrs; f. train — ātrvilciens
father n tēvs
fatigue n nogurums
fax I n sar. saīs. no telefax; II v sar. saīs. no telefax
fear n bailes
feature n: f. film — mākslas filma
February n februāris
fee n 1. honorārs; atalgojums; 2. maksa
female a sieviešu-
ferry-boat n prāmis
festival n svētki; festivāls
fever n drudzis

few *pron* daži; nedaudzi
fiancé *n* līgavainis
fiancée *n* līgava
fiction *n* beletristika; daiļliteratūra; science f. — zinātniskā fantastika
field *n* 1. lauks; tīrums; 2. *(darbības)* lauks; sfēra; 3. sporta laukums
fifteen *num* piecpadsmit
fifty *num* piecdesmit
figure *n* 1. cipars; ~s — aritmētika; 2. figūra; 3. personība
figure-skating *n* daiļslidošana
fill *v* 1. piepildīt; 2. piepildīties; to f. in — izpildīt *(veidlapu)*
film *n* 1. fotofilma; 2. kinofilma; f. star — kinozvaigzne
final *a* gala-; beigu-; pēdējais
finance I *n* ~s *pl* — finanses; II *v* finansēt
financial *a* finansu-; finansiāls
fine *a* labs; lielisks
finger *n* pirksts
fir *n* egle
fire *n* 1. uguns; 2. ugunsgrēks
fireplace *n* kamīns
firm *n* firma
first *a* pirmais; f. name — [priekš] vārds

first-night *n* pirmizrāde
fiscal year *n* finansu gads
fish I *n* zivs; zivis; II *v* zvejot; makšķerēt
fishing-rod *n* makšķere
five *num* pieci
flag *n* karogs
flashlight *n* kabatas baterija
flat *n* dzīvoklis
flesh *n* miesa
flight *n* lidojums
floor *n* 1. grīda; 2. stāvs
flower *n* puķe; zieds
flu *n sar.* gripa
fluid I *n* šķidrums; II *a* šķidrs
fog *n (bieza)* migla
folk-dance *n* tautas deja
folklore *n* folklora
folk-song *n* tautas dziesma
food *n* barība; uzturs
food-stuff *n* pārtikas produkti
foot *(pl* feet) *n* 1. *(kājas)* pēda; on f. — kājām; 2. pēda *(mērvienība)*
footwear *n* apavi
for *prep* priekš
force *n* spēks; vara; armed ~s — bruņotie spēki
forecast *n* prognoze
foreign *a* ārzemju-
foreigner *n* ārzemnieks
foreman *n* meistars
forename *n (cilvēka)* vārds

forget *(p* forgot; *p. p.* for-
gotten) aizmirst
fork *n* dakšiņa
form *n* **1.** forma, veids;
2. veidlapa; **3.** klase
(skolā)
formal *a* oficiāls
forty *num* četrdesmit
fountain-pen *n* pildspalva
four *num* četri
fourteen *num* četrpadsmit
free I *n* **1.** brīvs; **2.** brīvs;
neaizņemts; **3.** bezmak-
sas-; II *v* atbrīvot
freedom *n* brīvība; neat-
karība
freight *n* krava
French I *n* **1.**: the F. —
francūži; **2.** franču va-
loda; II *a* francūžu-; F.
brandy — konjaks; F.
fries — kraukšķīgas
kartupeļu sloksnītes
(eļļā vai taukos ceptas)
frequency *n* **1.** biežums; **2.**
fiz. frekvence

frequent *a* biežs
frequently *adv* bieži
fresh *a* svaigs
Friday *n* piektdiena
friend *n* draugs
friendly *a* draudzīgs
friendship *n* draudzība
frock *n* kleita
frontier *n* robeža; piero-
beža
frost *n* **1.** sals; **2.** salna
fruit *n* auglis; augļi
fry *v* cept
fuel *n* kurināmais; degvie-
la
function I *n* funkcija; II
v funkcionēt; darbo-
ties
fundamental *a* pamata-;
būtisks
funeral *n* bēres
fur *n* zvērāda; kažokāda;
f. coat — kažoks
furniture *n* mēbeles
future I *n* nākotne; II
a nākotnes-; nākamais

G g

gallery *n* galerija
game *n* **1.** spēle; **2.** partija;
3. medījums
games-master *n* fizkultū-
ras skolotājs
garage *n* garāža

garbage *n* atkritumi; g.
can — atkritumu tver-
tne
garden *n* dārzs
gas *n* **1.** gāze; **2.** *amer. sar.*
benzīns; degviela

gas-meter *n* gāzes skaitītājs
gay *a* 1. jautrs; līksms; 2. spilgts; košs; 3. *sar.* homoseksuāls
gear *n (automašīnas)* ātrums; g.-box — ātrumkārba
general *a* vispārējs, vispārīgs
generation *n* paaudze
genre *n* žanrs
gentleman *n* džentlmenis
genuine *a* īsts; neviltots
German I *n* 1. vācietis; vāciete; 2. vācu valoda; II *a* vācu-
get *(p un p. p.* got*)* *v* iegūt; dabūt; to g. to know — uzzināt
gift *n* dāvana
gifted *a* talantīgs, apdāvināts
gin *n* džins
gingerbread *n* piparkūka
girl *n* meitene
girlfriend *n (zēna)* draudzene
give *(p* gave; *p.p.* given*)* *v* dot; sniegt
glass *n* 1. stikls; 2. glāze; glāzīte; 3. spogulis; 4.: ~es *pl* — brilles
glassware *n* stikla trauki
glove *n* cimds
go *(p* went; *p. p.* gone*)* *v* 1. iet, staigāt; 2. braukt
goal *n* 1. vārti; *pārn* mērķis

go-between *n* starpnieks
god *n* dievs
gold I *n* zelts; II *a* zelta-
good *(comp* better; *sup* best*)* *a* labs
goodbye *int* uz redzēšanos!; sveiki!
gospel *n* evaņģēlijs
government *n* valdība
governor *n* gubernators
grade *n* 1. pakāpe; 2. šķirne; 3. *amer.* klase *(skolā)*
graduate I *n (augstskolas)* absolvents; II *v* g. (from) — beigt *(augstskolu)*
grammar-school *n* 1. *(humanitāra novirziena)* vidusskola; 2. *amer.* vidusskolas vecākās klases
gram(me) *n* grams
granddaughter *n* mazmeita
grandfather *n* vectēvs
grandmother *n* vecāmāte
grandson *n* mazdēls
grant *n* 1. dotācija; subsīdija; 2. stipendija
grape *n* vīnoga
grapefruit *n* greipfrūts
gratitude *n* pateicība
grave *n* kaps
great *a* liels
green *a* zaļš
greengrocery *n* dārzeņu (augļu) veikals

greet *v* sveicināt

grey *a* pelēks

grill *n* 1. grils *(restes gaļas cepšanai)*; 2. uz grila cepta gaļa

grocery *n* 1. pārtikas preču veikals; 2.: groceries — pārtikas preces

grog *n* groks

gross *a* bruto-; g. weight — bruto svars

group *n* grupa

guarantee I *n* garantija; II *v* garantēt

guest *n* viesis

guide *n* pavadonis; gids

guidebook *n* ceļvedis (grāmata)

gulf *n* jūras līcis

gum *n* gumija

gymnasium *n* vingrotava

H h

haberdashery *n* 1. galantērijas preces; 2. galantērijas preču veikals

hair *n* mats; mati; to cut one's h. — nogriezt matus; to have one's h. done — ieveidot matus

hairbrush *n* matu suka

haircut *n* matu griezums

hair-do *n* *sar.* matu sakārtojums

hairdresser *n* frizieris

half *n* puse; h. past three — pusčetri; one and a h. — pusotra

halfpenny *n* puspenijs

hall *n* halle; zāle

ham *n* šķiņķis

hammer *n* āmurs

hand *n* roka; plauksta

handbag *n* rokassoma

handball *n* *sp.* rokasbumba

handbook *n* rokasgrāmata

handkerchief *n* kabatlakats

hand-made *a* rokām darināts

handsome *a* glīts, izskatīgs

hanger *n* *(drēbju)* pakaramais

happy *a* laimīgs; h. journey! — laimīgu ceļu!; H. New Year! — Laimīgu Jauno gadu!

harbour *n* osta

hard *a* grūts; smags; h. cash — skaidra nauda

hardware *n* 1. metālizstrādājumi; h. store — saimniecības preču veikals; 2. *(skaitļoša-*

nas mašīnu) iekārta; aparatūra

hare *n* zaķis

harp *n* arfa

harrow *n* ecēšas

harvest *n* raža

harvester *n* pļaujmašīna

hat *n* cepure, platmale

have *(p un p. p.* had) *v* būt *(piederības nozīmē);* I h. a very good flat — man ir lielisks dzīvoklis; to h. a pleasant time — jauki pavadīt laiku

hawk *n* vanags

hawker *n* ielu tirgotājs

hay *n* siens; to make h. — vākt sienu

he *pron* viņš

head *n* 1. galva; 2. vadītājs

headache *n* galvassāpes

heading *n* virsraksts

headline *n* virsraksts

headmaster *n (skolas)* direktors

headphones *n (radio)* austiņas

headquarters *pl n mil.* štābs

health *n* veselība; h. service — veselības aizsardzība

health-resort *n* kūrorts

hear *v* 1. dzirdēt; 2. klausīties

hearing-aid *n* dzirdes aparāts

heart *n* sirds; h. attack — sirdslēkme

heat *n* karstums

heater *n* sildītājs; electric h. — elektriskais sildītājs

heating *n* apkure; central h. — centrālapkure

heavyweight *n sp.* smagsvars

hedgehog *n* ezis

heel *n* 1. papēdis; 2. *(zeķes)* pēda

helix *n* spirāle

hell *n* elle

hello *int* 1. sveiks!; 2. hallo!; klausos!

helmet *n* bruņucepure, ķivere

help *n* palīdzība

hen *n* vista

her *pron* 1. viņu; viņai; 2. viņas

here *adv* šeit

heritage *n* mantojums

hero *n* varonis

herring *n* siļķe

hers *pron* viņas

herself *pron* sev; sevi

hi *int amer.* sveiks!

hi-fi *sar. saīs. no* **high-fidelity**

high *a* augsts; h. jump *sp* — augstlēkšana

highball *n amer.* glāze viskija ar sodu

high-fidelity *a* augstas kvalitātes; h.-f. recording — augstas kvalitātes ieraksts

highway *n* automaģistrāle

hike I *n (tūristu)* pārgājiens; II *v* doties tūristu pārgājienā

hill *n* pakalns

him *pron* viņu; viņam

himself *pron* 1. sev; sevi; he bought it for h. — viņš to nopirka sev; he hurt h. — viņš savainojās; 2. pats; he said so h. — viņš pats tā teica

hip *n* gurns; gūža

hippie *n* hipijs

hire I *n* īrēšana; nomāšana; II *v* īrēt, nomāt

his *pron* viņa

historical *a* vēsturisks *(saistīts ar vēsturi);* h. monument — vēsturisks piemineklis

history *n* vēsture

hit *n* grāvējs *(dziesma);* h. parade — populārāko skaņuplašu saraksts

hitchhike *v* ceļot ar autostopu

hobby *n* vaļasprieks

hold *(p un p. p.* held) *v* turēt; to h. the line — nenolikt *(telefona)* klausuli

hole *n* caurums

holiday *n* 1. svētki; brīvdiena; 2. atvaļinājums; 3.: ~s *pl* — brīvdienas *(skolā)*

holy *a* svēts; H. Writ — svētie raksti

home *n* māja[s]

homesick *a* noilgojies pēc mājām *(dzimtenes)*

homework *n* mājas uzdevums

honey *n* 1. medus; 2. *sar.* mīlulītis; dārgumiņš

honeymoon *n* medusmēnesis

horse *n* zirgs

horserace *n* zirgu skriešanās sacīkstes

hosiery *n* zeķes; trikotāža *(veļa)*

hospitality *n* viesmīlība

host *n* saimnieks, namatēvs

hostage *n* ķīlnieks

hostel *n* kopmītne; youth h. — tūristu bāze

hostess *n* saimniece, namamāte

hot *a* 1. karsts; 2. ass; sīvs

hotel *n* viesnīca

hour *n* stunda; half an h. — pusstunda; in an h. — pēc stundas

house *n* māja; nams

housewife *n* mājsaimniece

housework *n* mājsaimnie-
cības darbi

housing *n* apgāde ar dzī-
vokļiem

how *adv* kā; kādā veidā?

however I *adv* lai kā, lai
cik; II *conj* tomēr

huckleberry *n* mellene

human *a* cilvēka-; cilvē-
cisks

humanity *n* 1. cilvēce; 2.:
the humanities — hu-
manitārās zinātnes

hundred *num* simts

Hungarian I *n* 1. ungārs;
ungāriete; 2. ungāru
valoda; II *a* ungāru-

hunt *n* medības

hurricane *n* viesuļvētra

husband *n* vīrs, laulāts
draugs

I i

I *pron* es

ice *n* ledus

icebreaker *n* ledlauzis

ice-cream *n* saldējums

Icelander *n* islandietis; is-
landiete

Icelandic I *n* islandiešu
valoda; II *a* islandiešu-

icing *n* cukura glazūra

idea *n* ideja; doma

identity *n* personība; i.
card — personas aplie-
cība

if *conj* 1. ja; 2. vai

ill *a* slims; to fall i. — sa-
slimt

illness *n* slimība

important *a* svarīgs, no-
zīmīgs

impression *n* iespaids

in *adv* iekšā

inch *n* colla *(2,54 cm)*

incident *n* incidents; ga-
dījums

include *v* iekļaut

income *n* ienākums

indeed *adv* patiešām, pa-
tiesi

independence *n* neatkarība

independent *a* neatkarīgs

Indian I *n* 1. indietis; in-
diete; 2. indiānis; indiā-
niete; II *a* 1. indiešu-;
2. indiāņu-; I. sum-
mer — atvasara

Indonesian I *n* indonēzie-
tis; indonēziete; II *a* in-
donēziešu-

industry *n* industrija;
rūpniecība

infantry *n mil.* kājnieki

276

influence I *n (on, upon)*
ietekme; II *v* ietekmēt
inhabitant *n* iedzīvotājs
inheritance *n* mantojums
injection *n* injekcija
inn *n* viesnīca; iebraucamā
vieta
in-patient *n* stacionārs
slimnieks
input *n tehn.* 1. ievads; 2.
(datu) ievadīšana
inscription *n* uzraksts; ie-
raksts
instant *a* steidzams; i.
need — steidzama va-
jadzība; i. coffee —
šķīstošā kafija
instructor *n* instruktors;
skolotājs
insulation *n tehn.* izolācija
insurance *n* apdrošināša-
na; i. policy — apdro-
šināšanas polise
interest *n* 1. interese; 2.
procenti; rate of i. —
procentu likme
intermarriage *n* jauktas
laulības
intern *n* 1. jauns ārsts *(kas
dzīvo un strādā slimnī-
cā)*; 2. praktikants
international *a* internacio-
nāls

interpreter *n (mutvārdu)*
tulks; simultaneous
i. — sinhronais tulks
into *prep* 1. *(norāda dar-
bības virzienu)*: to come
i. the room — ienākt
istabā; 2. *(norāda pār-
vērtību)*: to turn i.
ice — pārvērsties ledū;
to translate i. En-
glish — pārtulkot an-
gliski
invade *v* iebrukt; okupēt
invader *n* iebrucējs; oku-
pants
invention *n* izgudrojums
invest *v* ieguldīt *(kapitālu)*
investment *n* kapitālie-
guldījums
invitation *n* ielūgums
invite *v* ielūgt
Irish I *n* 1.: the I. — īri;
2. īru valoda; II *a* īru-
iron I *n* 1. dzelzs; 2. glu-
deklis; II *v* gludināt
island *n* sala
it *pron* tas; tā
Italian I *n* 1. itālietis; itā-
liete; 2. itāliešu valoda;
II *a* itāliešu-
its *pron* tā; tās; savs
itself *pron* 1. sev; sevi; 2.
pats; pati
ivory *n* ziloņkauls

J j

jack *n* domkrats
jackdaw *n* kovārnis
jacket *n* jaka; žakete; life
j. — glābšanas veste
jack-knife *n* savāžamais
nazis
jail *n* cietums
jam *n* džems, ievārījums
janitor *n* 1. šveicars; vārt-
sargs; 2. *amer.* sētnieks
January *n* janvāris
Japanese I *n* 1. japānis;
japāniete; 2. japāņu va-
loda; II *a* japāņu-
jar *n* burka
jaundice *n* dzeltenā kaite
javelin-throwing *n* *sp.*
šķēpmešana
jaw *n* žoklis
jazz *n* džezs; j. band —
džeza orķestris
jeans *pl n* džinsi
jelly *n* 1. želeja; 2. galerts
jersey *n* adīts svīteris;
adīta jaka
Jew *n* ebrejs
jewel *n* dārgakmens
jeweller *n* juvelieris
jewel[l]ery *n* dārglietas

Jewish *a* ebreju-
job *n* darbs; nodarbošanās
job-work *n* gabaldarbs
jogging *n* *sp* lēns skrējiens
joiner *n* galdnieks
joint-stock *n* akciju kapi-
tāls; j.-s. company —
akciju sabiedrība
journal *n* *(zinātnisks)* žur-
nāls
journalist *n* žurnālists
journey *n* ceļojums; brau-
ciens
joy *n* prieks
judge *n* tiesnesis
jug *n* krūze
juice *n* sula
juke-box *n* mūzikas auto-
māts
July *n* jūlijs
jump *n* lēciens; high j.
sp. — augstlēkšana;
long j. *sp.* — tāllēkšana
jumper *n* džemperis
June *n* jūnijs
jungle *n* džungļi
junior *n* juniors, jaunākais
jury *n* 1. *jur.* zvērinātie;
2. žūrija

K k

kangaroo *n* ķengurs
Kazakh I *n* 1. kazahs; kazahiete; 2. kazahu valoda; II *a* kazahu-
keep *(p un p. p.* kept*)* *v* turēt; glabāt
ketchup *n* tomātu mērce
key *n* 1. atslēga; 2. *(klavieru)* taustiņš
kid *n sar.* bērns; mazulis
kill *v* nogalināt
kind *n* suga, šķirne, veids
kindergarten *n* bērnudārzs
king *n* karalis
kingdom *n* karaliste
Kirghiz I *n* 1. kirgīzs; kirgīziete; 2. kirgīzu valoda; II *a* kirgīzu-

kiss I *n* skūpsts; II *v* skūpstīt
kitchen *n* virtuve
knee *n* celis, ceļgals
knife *(pl* knives*) n* nazis
knight *n* 1. bruņinieks; 2. zirdziņš *(šahā)*
knit *v* adīt
knitted *a* adīts
knitwear *n* trikotāža
know *(p* knew; *p. p.* known*) v* zināt
know-how *n* prasme, māka
knowledge *n* zināšanas
Korean I *n* 1. korejietis; korejiete; 2. korejiešu valoda; II *a* korejiešu-

L l

label *n* etiķete
laboratory *n* laboratorija
labour *n* darbs
lace *n* 1. *(kurpju)* saite; 2. mežģīnes
lady *n* 1. dāma; lēdija; 2. *(savienojumos norāda uz sieviešu dzimumu):* 1. doctor — ārste
lake *n* ezers
lamp *n* lampa
lamprey *n* nēģis

lampshade *n* abažūrs
land I *n* 1. zeme, sauszeme; to travel by l. — ceļot pa sauszemi; 2. zeme, valsts; II *v* 1. *(par kuģi, laivu)* piestāt krastā; 2. *(par lidmašīnu)* nolaisties
landlady *n (mājas, viesnīcas)* saimniece
landlord *n (mājas, viesnīcas)* saimnieks

landscape *n* ainava

lane *n* 1. šaura ieliņa; 2. *(braukšanas)* josla

language *n* valoda

lapel *n (svārku)* atloks

large *a* liels; plašs

laser *n* lāzers

last *a* 1. pēdējais; 2. pagājušais

late *a* vēls, novēlojies

Latin *n* latīņu valoda

latitude *n ģeogr.* platums

Latvian I *n* 1. latvietis; latviete; 2. latviešu valoda; II *a* latviešu-

laughter *n* smiekli

launder *v* mazgāt un gludināt *(veļu)*

lavatory *n* tualetes telpa

law *n* 1. likums; 2. tieslietas; jurisprudence

lawn *n* maurs; zāliens

lawn-mower *n* zālespļāvējs *(mašīna)*

lawyer *n* jurists; advokāts

layman *n* nespeciālists

leader *n* 1. vadonis, vadītājs; līderis; 2. ievadraksts

leading *a* vadošais; galvenais

leaf *n* lapa

league *n* līga, savienība

leap-year *n* garais gads

learn *(p un p. p.* learned vai learnt) *v* [ie]mācīties

lease *n* 1. noma; 2. nomas līgums; 3. nomas laiks

leaseholder *n* nomnieks

leather *n (izstrādāta)* āda

leave *n* atvaļinājums

lecture *n* lekcija

left I *n* kreisais; II *adv* pa kreisi

left-hand *a* kreisais; l.h. side — kreisā puse

left-luggage office *n* bagāžas glabātava

leg *n* kāja

legal adviser *n* juriskonsults

legend *n* leģenda

legislation *n* likumdošana

legislative *a* likumdošanas-

lemon *n* citrons; l. squash — citrondzēriens

lens *n* 1. lēca; 2. fotoobjektīvs

Lent *n* lielais gavēnis

leopard *n* leopards

lessor *n* iznomātājs

letter *n* 1. burts; 2. vēstule

letter-box *n* pastkastīte

letter of credit *n* akreditīvs

Lettish I *n* latviešu valoda; II *a* latviešu-

lettuce *n* lapu salāti

liberate *v* atbrīvot

liberty *n* brīvība; to set at l. — atbrīvot

librarian *n* bibliotekārs

library *n* bibliotēka

licence *n* atļauja; licence; patents; driving l. — autovadītāja tiesības

lie[a] I *n* meli; II *v* melot

lie[b] *(p* lay; *p. p.* lain) *v* gulēt

life *n* 1. dzīve; 2. dzīvība

lifebelt *n* glābšanas josta

lifeboat *n* glābšanas laiva

life-estate *n* īpašums mūža lietošanā

life-insurance *n* dzīvības apdrošināšana

lift *n* celtnis, lifts

light[a] *n* gaisma

light[b] *a* viegls

lighter *n* šķiltavas

lighthouse *n* bāka

lightning *n* zibens

like *v* patikt

lilac *n* ceriņi

lily *n* lilija; l. of the valley — maijpuķīte

lime *n* liepa

lime-juice *n* citronu sula

limestone *n* kaļķakmens

line *n* līnija

linen *n* veļa

lion *n* lauva

lip *n* lūpa

lipstick *n* lūpu zīmulis

liqueur *n* liķieris

liquid *n* šķidrums

liquor *n* alkoholisks dzēriens; hard ~s — stiprie dzērieni

listen *v (to)* klausīties

literature *n* literatūra

Lithuanian I *n* 1. lietuvietis; lietuviete; 2. lietuviešu valoda; II *a* lietuviešu-

litre *n* litrs

litter-bin *n* atkritumu tvertne

little I *n* neliels daudzums; II *a (comp* less; *sup* least) mazs

live *v* dzīvot

liver *n* aknas

living-room *n* dzīvojamā istaba

loaf *(pl* loaves) *n* klaips, kukulis

loan *n* 1. aizdevums; 2. aizņēmums

local *a* vietējais

lodger *n* īrnieks

long *a* garš

long-distance *a* tāls; attāls; l.-d. call — starppilsētu telefona saruna

longitude *n* ģeogr. garums

long-sighted *a* tālredzīgs

looking-glass *n* spogulis

lord *n* 1. lords, pērs; 2.: L. — Dievs

lorry *n* kravas automašīna

lotion *n* losjons

loud I *a* skaļš; II *adv* skaļi

loud-speaker *n* skaļrunis

love I *n* mīlestība; II *v* mīlēt

low *a* 1. zems; 2. *(par balsi)* kluss

luggage *n* bagāža

luggage-rack *n* bagāžas plaukts *(vagonā)*

luggage-van *n* bagāžas vagons

lumber *n* kokmateriāli

lunch I *n* pusdienas *(dienas vidū);* lenčs; II *v* ēst pusdienas *(dienas vidū)*

lunch-time *n* pusdienas pārtraukums

lung *n* plauša

Lutheran *n* luterānis

lying-in *n* dzemdības; l.-i. hospital — dzemdību nams

lyrics *pl n* lirika

M m

machine *n* mašīna

machine-shop *n* mehāniskā darbnīca; mehāniskais cehs

mad *a* ārprātīgs, traks; to go m. — sajukt prātā

madam *n* kundze *(uzrunā)*

magazine *n* žurnāls

maid *n* istabene, kalpone

mail I *n* pasts; II *v* sūtīt pa pastu

mailbox *n amer.* pastkastīte

maize *n* kukurūza

major *n* majors

make *(p un p. p.* made) *v* taisīt; izgatavot; ražot

make-up *n* grims; kosmētika

malignant *n med.* ļaundabīgs

man *n* 1. cilvēks; 2. vīrietis

management *n* 1. vadīšana; pārzināšana; 2. vadība; direkcija, administrācija

manager *n* vadītājs; direktors

mankind *n* cilvēce

manor-house *n* privātmāja

manual *n* rokasgrāmata

many *(comp* more; *sup* most) *a* daudz

map *n* karte; road m. — ceļu karte

maple *n* kļava

marble *n* marmors

March *n* marts

march *n* maršs

marine *n* jūras flote; merchant m. — tirdzniecības flote

mark *n* atzīme *(skolā)*

market *n* tirgus

marriage *n* laulības; pre-
cības
married *a* precējies; to get
m. — apprecēties
marry *v* **1.** precēties; **2.**
izprecināt
marsh *n* purvs
marten *n* cauna
mascara *n* skropstu tuša
mask *n* maska
master *n* **1.** liels māksli-
nieks; meistars; **2.** ma-
ģistrs
masterpiece *n* meistar-
darbs, šedevrs
match[a] *n* sērkociņš
match[b] *n* sacīkstes; mačs
mathematics *n* matemāti-
ka
May *n* maijs
may *(p* might) *mod. v* **1.**
būt iespējamam; **2.**
drīkstēt
maybe *adv* varbūt
mayonnaise *n* majonēze
mayor *n* mērs
me *pron* man; mani; it's
me — tas esmu es
meadow *n* pļava
meal *n* maltīte
measles *n* masalas
measure *n* mērs
meat *n* gaļa
meatball *n* frikadele
meat-chopper *n* gaļasma-
šina
mechanic *n* mehāniķis

medicine *n* **1.** medicīna;
2. zāles
medium *(pl* media *vai* me-
diums) *n* līdzeklis; mass
media — masu infor-
mācijas līdzekļi
meet *(p un p. p.* met)
v **1.** satikt, sastapt; **2.**
satikties, sastapties; **3.**
iepazīties
meeting *n* **1.** satikšanās,
sastapšanās; **2.** mītiņš,
sapulce
melody *n* melodija
melon *n* melone
member *n* loceklis; biedrs
menu *n* ēdienkarte
mercury *n* dzīvsudrabs
merry-go-round *n* karuse-
lis
mess *n* nekārtība; juceklis
message *n* ziņa; ziņojums
meter *n* *(elektrības, gā-
zes, autostāvvietas)*
skaitītājs
method *n* metode; paņē-
miens
metre *n* metrs
Mexican I *n* meksikānis;
meksikāniete; **II** *a*
meksikāņu-
middle I *n* vidus; **II** *a* vi-
dus-; vidējais
middle-aged *a* pusmūža
midnight *n* pusnakts
mile *n* jūdze
milk *n* piens

milkshake *n* piena koktei-
lis
milk-tooth *n* piena zobs
mill *n* 1. dzirnavas; 2. fab-
rika
million *n* miljons
millionaire *n* miljonārs
mince *n* kapāta gaļa
mine[a] *pron* mans
mine[b] *n* 1. raktuve; šah-
ta; 2. mīna
miner *n* kalnracis; ogļracis
minibus *n* mikroautobuss
mink *n* 1. ūdele; 2. ūdeļ-
āda
mint *n* piparmētra
minute *n* 1. minūte; just
a m.! — acumirkli!; 2.:
~s *pl* — protokols; to
keep the ~s protokolēt
minute-hand *n* minūšu rā-
dītājs
mirror *n* spogulis
misfortune *n* nelaime
miss *n* mis, jaunkundze
missile *n* reaktīvais šā-
viņš; raķete
missis *n* misis, kundze
mistake *n* kļūda; pārpra-
tums
mister *n* misters, kungs
misunderstanding *n* pār-
pratums
mitten *n* dūrainis
mixer *n* mikseris
mode *n* veids; paņēmiens;
darbības režīms

model *n* 1. modelis; 2. pa-
raugs; 3. manekens
moderate *a* mērens
mohair *n* mohēra
Moldavian I *n* 1. moldāvs;
moldāviete; 2. moldāvu
valoda; II *a* moldāvu-
monastery *n* klosteris
Monday *n* pirmdiena
money *n* nauda
money-order *n* naudas
pārvedums
Mongol I *n* 1. mongolis;
mongoliete; 2. mongoļu
valoda; II *a* mongoļu-
monk *n* mūks
monkey *n* pērtiķis
month *n* mēnesis
monument *n* piemineklis
moon *n* mēness
morning *n* rīts; good
m.! — labrīt!
Moslem I *n* musulmanis;
musulmaniete; II *a*
musulmaņu-
mosque *n* mošeja
motel *n* motelis
mother *n* māte; m. ton-
gue — dzimtā valoda
mother-in-law *n* 1. vīramā-
te; 2. sievasmāte
mother-of-pearl *n* perla-
mutrs
motor *n* dzinējs; motors
motorbike *n* mopēds
motorboat *n* motorlaiva
motorcycle *n* motocikls

motorway *n* autostrāde
mountain *n* kalns
mourning *n* sēras
mouse *(pl* mice) *n* pele
moustache *n* ūsas
mouth *n* 1. mute; 2.
(upes) grīva
movement *n* kustība
movie *n* kinofilma
much *(comp* more *sup.*
most) *adv* daudz
multiplication *n* mat. rei-
zināšana
mummy *n* māmiņa
mumps *n med.* cūciņa
municipal *a* municipāls
murder I *n* slepkavība; II
v noslepkavot
museum *n* muzejs

mushroom *n* sēne
music *n* 1. mūzika; 2. no-
tis
musician *n* mūziķis
must *mod v* 1. *(izsaka ne-
pieciešamību):* I m. go
home — man jāiet mā-
jās
mustard *n* sinepes; m.
plaster — sinepju
plāksteris
mute *a* mēms
mutton *n* aitas (jēra) gaļa
my *pron* mans; mana
myself *pron* 1. sev; sevi;
I washed m. — es no-
mazgājos; 2. pats;
I did it m. — es pats
to izdarīju

N n

nail *n* 1. nags; 2. nagla
nail-varnish *n* nagu laka
name *n* vārds; uzvārds
napkin *n* salvete
nation *n* nācija, tauta
national *a* nacionāls; tau-
tas-; valsts-
nationality *n* 1. naciona-
litāte, tautība; 2. pa-
valstniecība
native *n* vietējais iedzīvo-
tājs; iezemietis
nature *n* daba

navy *n* jūras kara flote;
n. blue — tumšzila krā-
sa
near I *a* tuvs; II *adv* tuvu
near-sighted *a* tuvredzīgs
neck *n* kakls
necklace *n* kaklarota
necktie *n* kaklasaite
needle *n* adata
neighbour *n* kaimiņš; kai-
miņiene
nephew *n* 1. brāļadēls; 2.
māsasdēls

285

nerve *n* nervs
net *n* tīkls
new *a* jauns
newly-weds *pl n* jaunlaulātie
news *pl (lieto kā sing)* *n* ziņas; jaunumi
newspaper *n* laikraksts; avīze
newsreel *n* kinohronika; kinožurnāls
newsstand *n* laikrakstu kiosks
next *n* nākošais
nice *a* jauks; patīkams; n. weather — jauks laiks
nickel *n amer.* piecu centu monēta
nickname *n* iesauka
niece *n* 1. brāļameita; 2. māsasmeita
night *n* nakts; vakars
nightdress *n (sieviešu)* naktskrekls
nightingale *n* lakstīgala
nightmare *n* murgi
nightschool *n* vakarskola
nightshift *n* naktsmaiņa
nil *n* nulle
nine *num* deviņi
nineteen *num* deviņpadsmit
ninety *num* deviņdesmit
no *partic* nē
noise *n* troksnis

non-stop *a* 1. bezpieturu- *(brauciens)*; 2. beznosēšanās- *(lidojums)*
noon *n* dienas vidus; at n. — pulksten divpadsmitos dienā
north I *n* ziemeļi; II *a* ziemeļu-
northern *a* ziemeļu-; n. lights — ziemeļblāzma
Norwegian I *n* 1. norvēģis; norvēģiete; 2. norvēģu valoda; II *a* norvēģu-
nose *n* deguns
notary *n* notārs
notebook *n* piezīmju grāmatiņa
nothing *pron* nekas
novel *n* romāns
November *n* novembris
now *adv* tagad, pašlaik
nuclear *a* kodol-; n. weapons — kodolieroči
number *n* 1. skaits; daudzums; 2. numurs; n. plate — *(automašīnas)* numura plāksne; 3. *mat.* skaitlis
nun *n* mūķene
nurse *n* slimnieku kopēja; medmāsa
nursery *n* 1. bērnistaba; 2. mazbērnu novietne; n. school — bērnudārzs
nut *n* rieksts

O o

oak *n* ozols
oar *n* airis
oatmeal *n* auzu putra
observatory *n* observato-
rija
observer *n* novērotājs
occupation *n* 1. okupāci-
ja; 2. nodarbošanās;
profesija
ocean *n* okeāns
October *n* oktobris
odour *n* smarža, aromāts
off *adv (norāda darbības
pārtraukšanu):* to switch
o. the light — nodzēst
gaismu
office *n* birojs; iestāde
officer *n* 1. virsnieks; 2.
ierēdnis
official *n* ierēdnis; amat-
persona
often *adv* bieži
oil *n* 1. eļļa; 2. nafta
oil-colours *pl n* eļļas krāsas
oil-painting *n* 1. eļļas glez-
niecība; 2. eļļas glezna
oil-well *n* naftas avots
ointment *n* ziede
old *a* vecs
olive-oil *n* olīveļļa
Olympics *pl n* olimpiskās
spēles
omlet[te] *n* omlete

on *adv* 1. tālāk; uz priek-
šu; 2. *(norāda aparāta
vai mehānisma ieslēgša-
nu):* the light is on —
gaisma ir iedegta
on-camera *n (televīzijas)*
tiešā pārraide
one *n* viens, vieninieks
one-man *a* viena cilvēka-;
o.-m. show — 1) viena
aktiera teātris; 2) per-
sonālizstāde
one-way *a* vienvirziena-;
o.-w. street — vienvir-
ziena iela; o.-w. ticket
amer. — biļete turpce-
ļam
onion *n* sīpols; spring
~s — loki
open *a* atvērts, vaļējs
open-air *a* brīvdabas
opera *n* opera
opera-glasses *pl n* binoklis
opinion *n* uzskats
opposition *n* opozīcija
optician *n* optiķis
option *n* izvēle
optional *a* neobligāts; fa-
kultatīvs
or *conj* vai
orange I *n* apelsīns; II
a oranžs
orbit *n* orbīta

orchard *n* augļu dārzs
orchestra *n* orķestris
orchid *n* orhideja
order[a] *n* kārtība; secība
order[b] *n* pasūtījums; o.-form — pasūtījumu veidlapa
ore *n* rūda
organ *n* 1. orgāns; 2. ērģeles
organization *n* organizācija
oriental *a* austrumu-; austrumniecisks
orphan *n* bārenis
Orthodox *n* pareizticīgs
ostrich *n* strauss
other *a* cits
ounce *n* unce *(28,3g)*
our *pron* mūsu
ours *pron* mūsu; this house is o. — tā ir mūsu māja

ourselves *pron* 1. sev; sevi; 2. paši
out *adv* ārā
outdoors *adv* ārā, brīvā dabā
out-patient *n* ambulatorisks slimnieks; o.-p. department — poliklīnika
oven *n* cepeškrāsns
over *adv* pāri
overcoat *n* mētelis
overture *n* *mūz*. uvertīra
owe *v* būt parādā
owl *n* pūce
own I *a* paša; savs; II *v* piederēt
owner *n* īpašnieks
ownership *n* īpašums tiesības
ox *(pl* oxen) *n* vērsis
oxygen *n* *ķīm*. skābeklis
oyster *n* austere

P p

pace *n* 1. solis; 2. gaita
pack *n* sainis; paka
packet *n* sainītis; paciņa
pad *n* 1. polsteris; 2. piezīmju bloks
page *n* lappuse
pail *n* spainis
pain *n* sāpes

pain-killer *n* *sar*. sāpes remdinošs līdzeklis
paint I *n* krāsa; krāsojums; II *v* 1. krāsot; 2. gleznot
painter *n* gleznotājs
painting *n* 1. glezniecība; 2. glezna

pair *n* pāris
palace *n* pils
palm *n* palma
pan *n* panna
pancake *n* pankūka
panties *pl n sar. (sieviešu, bērnu)* biksītes
pants *pl n* 1. *(vīriešu)* bikses; 2. apakšbikses
pantyhose *n amer.* zeķbikses
paper *n* 1. papīrs; 2. laikraksts
paperback *n* brošēta grāmata
paramedic *n* vidējais medicīniskais personāls
parcel *n* 1. sainis; paka; 2. *(pasta)* sūtījums
parents *pl n* vecāki
park I *n* 1. parks; 2. *(automašīnu)* stāvvieta; II *v* novietot stāvvietā *(automašīnu)*
parking *n (automašīnu)* stāvvieta; no p.! — automašīnām stāvēt aizliegts! *(uzraksts)*
parliament *n* parlaments
parsley *n* pētersīlis; pētersīļi
part *n* daļa
part-time *a:* to be employed p.-t. — strādāt nepilnu darba dienu
party[a] *n* 1. partija; 2. viesības

party[b] *n jur.* puse
passenger *n* pasažieris
passport *n* pase
past *n* pagātne
paste *n kul.* mīkla
pasteboard *n* kartons
pastel *n* 1. pasteļkrīti; 2. pasteļglezna, pastelis
pastor *n* mācītājs
pastry *n* konditorejas izstrādājumi *(kūkas, cepumi u. tml.)*
pasty *n (gaļas, ābolu)* pīrāgs
patient *n* pacients, slimnieks
pattern *n (auduma)* raksts, zīmējums
pavement *n* 1. ietve, trotuārs; 2. *amer.* bruģis
pavilion *n* paviljons
pay I *n* [sa]maksa; II *v (p un p. p.* paid) [sa]maksāt; to p. in cash — maksāt skaidrā naudā
payment *n* maksājums; samaksa
pea *n* zirnis; sweet ~s — puķuzirnīši
peace *n* miers
peach *n* persiks
peanut *n* zemesrieksts
pear *n* bumbieris
pearl *n* pērle
peasant *n* zemnieks
peat *n* kūdra

pedestrian *n* gājējs; p. crossing — gājēju pāreja

pen *n* rakstāmspalva

penalty *n* sods

pencil *n* zīmulis

peninsula *n* pussala

penny *(pl* pence) *n* penijs, penss

pension *n* pensija

penthouse *n* komfortabls dzīvoklis *(augšstāvā)*

people *n* 1. tauta, nācija; 2. cilvēki, ļaudis

pepper *n* pipari

pepperbox *n* piparnīca

per cent *n* procents

performance *n* izrāde

perfume *n* 1. smarža, aromāts; 2. smaržas

perm *n sar. (saīs. no* permanent wave) ilgviļņi

Persian I *n* 1. persietis; persiete; 2. persiešu valoda; II *a* persiešu-

personality *n* personība

personnel *n* personāls; kadri; p. department — kadru daļa

pet *n* iemīļots mājdzīvnieks *(suns, kaķis u.c.)*

petition *n* iesniegums, lūgums

petrol *n* benzīns; p. station — degvielas iepildes stacija

petticoat *n* apakšsvārki

pharmacy *n* aptieka

philharmonic *a:* ph. society — filharmonija

philology *n* filoloģija

philosophy *n* filozofija

phone *sar. (saīs. no* telephone) I *n* telefons; II *v* zvanīt pa telefonu

phone-booth *n (telefona)* automāts

photograph I *n* fotogrāfija, fotoattēls; II *v* fotografēt

phrase-book *n* sarunvārdnīca

physician *n* ārsts

physicist *n* fiziķis

physics *n* fizika

pianist *n* pianists

piano *n* klavieres

pickle I *n* 1. sālījums; marināde; 2.: ~s *pl* — marinēti dārzeņi; II *v* sālīt; marinēt

pick-up *n* pikaps *(maza kravas automašīna)*

pictorial *n* ilustrēts žurnāls

picture *n* 1. glezna; 2. ilustrācija; attēls; p. postcard — mākslas atklātne; 3.: the ~s *pl* — kino

picture-gallery *n* gleznu galerija

pie *n* pīrāgs

piece *n* gabals; daļa

pier *n* 1. mols; viļņlauzis; 2. *(tilta)* balsts

pig *n* cūka; sivēns
pike *n* līdaka
pill *n* **1.** pilula, zāļu zirnītis; **2.**: the p. — pretapaugļošanās tabletes; to go on the p. — lietot pretapaugļošanās tabletes
pillow *n* spilvens
pillow-case *n* spilvendrāna
pilot *n* **1.** pilots, lidotājs; **2.** locis
pin I *n* kniepadata; II *v (up, on)* piespraust
pine *n* priede
pineapple *n* ananass
pink *a* sārts, rožains
pint *n* pinte *(0,57 l)*
pipe *n* **1.** caurule; cauruļvads; **2.** pīpe
place *n* **1.** vieta; **2.** dzīvesvieta
plane *n sar.* lidmašīna
plant *n* **1.** augs; stāds; **2.** rūpnīca, fabrika
plaster I *n* **1.** apmetums; **2.** plāksteris; II *v* **1.** apmest *(sienas);* **2.** uzlikt plāksteri
plastic I *n* **1.** plastmasa; **2.** plastika; II *a* **1.** plastmasas-; **2.** plastisks
plate *n* šķīvis
plate-rack *n* trauku žāvējamais
platform *n* perons
play *n* luga

playback *n (skaņu ieraksta)* atskaņojums
playbill *n (teātra)* afiša
playwright *n* dramaturgs
please *v* lūdzu
pleat *n* ieloce; plisējums; ~ed skirt — plisēti svārki
plot *n* **1.** *(neliels)* zemes gabals; **2.** sižets; fabula
plough I *n* arkls; II *v* art
plug *n* **1.** aizbāznis; tapa; **2.** *el* kontaktdakša
plum *n* plūme
plumbing *n* ūdensvads, ūdensvadu sistēma *(ēkā)*
plump *a* tukls
plural *n gram.* daudzskaitlis
plus *n* pluss, plusa zīme
pneumonia *n med.* pneimonija, plaušu karsonis
pocket *n* kabata
pocket-book *n* piezīmju grāmatiņa
pocket-size *a* kabatformāta-
poem *n* poēma; dzejolis
poet *n* dzejnieks
poetry *n* poēzija, dzeja
poisonous *a* indīgs
Pole *n* polis; poliete
police *n* policija
policeman *n* policists
police-station *n* policijas iecirknis

policy *n* politika

Polish I *n* poļu valoda; II *a* poļu-

polish *n* pulējums; shoe p. — apavu krēms

politician *n* politiķis

politics *n* politika

poll *v* balsot

polling *n* balsošana

pollution *n* piesārņošana

pomegranate *n* granāt- ābols

pond *n* dīķis

pony *n* ponijs

poodle *n* pūdelis

pool *n* 1. peļķe; 2. baseins

poor *a* nabadzīgs

pop *a sar. (saīs. no* popular): p. art — pop- māksla; p. music — popmūzika

pope *n* pāvests

poplar *n* papele

poppy *n* magone

popular *a* 1. tautas-; 2. populārs

population *n* iedzīvotāji

porcelain *n* porcelāns

pork *n* cūkgaļa

porridge *n (auzu)* biezput- ra

port[a] *n* osta

port[b] *n* portvīns

portable *a* portatīvs, pār- nēsājams

porter[a] *n* šveicars

porter[b] *n* nesējs

portrait *n* portrets

Portuguese I *n* 1. portu- gālis; portugāliete; 2. portugāļu valoda; II *a* portugāļu-

possession *n* īpašums; personal ~s — perso- niskā manta

post *n* vieta, amats

postcard *n* pastkarte

postcode *n* pasta indekss

poster *n* plakāts; afiša

postgraduate *n* aspirants; p. studies — aspiran- tūra

post-office *n* pasta nodaļa

potato *n* kartupelis; mas- hed ~es — kartupeļu biezenis

pottery *n* māla trauki; ke- ramika

poultry *n* mājputni

pound *n* 1. mārciņa *(453,6 g);* 2. mārciņa sterliņu

powder *n* 1. pulveris; 2. pūderis

powder-case *n* pūdernīca

power *n* enerģija

power-station *n* elektro- stacija

practice *n* mēģinājums

pram *n sar. (saīs. no* pe- rambulator) bērnu ra- tiņi

prawn *n* garnele

pray *v* skaitīt lūgšanu

prayer *n* lūgšana
prepacked *n (par pre-cēm)* fasēts
preschool *a* pirmsskolas-
prescription *n (ārsta)* recepte
present *n* dāvana; to make a p. *(of)* — uzdāvināt
president *n* prezidents
press *n:* the p. — prese
pretty *a* glīts; jauks
pre-war *a* pirmskara
price *n* cena
priest *n* priesteris, garīdznieks
prince *n* princis
printing-office *n* tipogrāfija
prison *n* cietums
prisoner *n* 1. cietumnieks; ieslodzītais; 2. gūsteknis
private I *n* ierindnieks; II *a* privāts; personisks
prize *n* godalga; balva
probationer *n* praktikants
processing *n* apstrāde; automatic data p. — automātiskā datu apstrāde
proclaim *v* proklamēt, pasludināt
producer *n* 1. režisors inscenētājs; 2. *(kino)* producents
productivity *n* produktivitāte, ražīgums; labour p. — darba ražīgums

profession *n* profesija, nodarbošanās
professional I *n* profesionālis; II *a* profesionāls
profit *n* peļņa; ienākums
program[me] *n* programma
programming *n* programmēšana
projector *n* projekcijas aparāts
pronunciation *n* izruna
proof-reader *n* korektors
propaganda *n* propaganda
property *n* manta; īpašums
proprietor *n* īpašnieks
prose *n* proza
prosecutor *n jur.* apsūdzētājs; public p. — prokurors
Protestant *n* protestants
province *n* province
proxy *n* pilnvara; by p. — ar pilnvaru
prune *n* žāvēta plūme
psychiatry *n* psihiatrija
psychology *n* psiholoģija
pub *n sar.* krogs
public I *n* sabiedrība; publika; II *a* sabiedrisks; publisks; p. opinion — sabiedriskā doma
publisher *n* izdevējs; the ~s — izdevniecība
pudding *n* pudiņš
pull *v* vilkt; raut
pullover *n* pulovers

pulse *n* pulss; to feel the p. — taustīt pulsu
pump I *n* sūknis; II *v* sūknēt
punch[a] I *n* kompostieris; II *v* kompostrēt *(biļeti)*
punch[b] *n* punšs
pupil[a] *n* skolnieks
pupil[b] *n (acs)* zīlīte

puppet *n* marionete, lelle
puppy *n* kucēns
pure *a* tīrs; nesajaukts
purple *a* purpursarkans
purse *n* naudas maks
pus *n* strutas
put *(p un p. p.* put) *v* nolikt; novietot
pyjamas *n pl* pidžama

Q q

quality *n* kvalitāte, labums
quantity *n* kvantitāte, daudzums
quarrel *n* strīds, ķilda
quarter *n* 1. ceturtdaļa; 2. *(stundas)* ceturksnis
quay *n* krastmala *(izbūvēta)*

queen *n* 1. karaliene; *(šahā, kāršu spēlē)* dāma
question *n* jautājums
question-mark *n gram.* jautājuma zīme
questionnaire *n* aptaujas lapa, anketa
queue *n* rinda
quick *a* ātrs
quinsy *n* angīna

R r

rabbit *n* trusis; Welsh r. — grauzdēta siera maizīte
race[a] *n* 1. *(ātruma)* sacīkstes; 2. skrējiens
race[b] *n* rase
racket *n* šantāža; rekets
radar *n* radars, radiolokators
radiator *n* radiators

radio *n* radio
radish *n* redīss; redīsi
raft *n* plosts
rag *n* lupata
rail *n* margas
railroad *n amer.* dzelzceļš
railway *n* dzelzceļš
rain I *n* lietus; II *v* līt; it ~s — līst

rainbow *n* varavīksne

raincoat *n* lietusmētelis

rainy *a* lietains

rally *n* sanāksme; salido-
jums; mītiņš

ram *n* auns

rank *n* dienesta pakāpe;
rangs

raspberry *n* avene

rat *n* žurka

rate *n* likme; tarifs; nor-
ma; r. of exchange —
valūtas kurss

raw *a* 1. jēls; 2. neapstrā-
dāts

ray *n* stars

razor *n* bārdas nazis

read *(p un p. p.* read) *v* lasīt

reader *n* lasītājs

reading-room *n* lasītava

ready-made *a:* r.-m. clot-
hes — gatavie apģērbi

realistic *a* reālistisks

really *adv* [pa]tiešām

receipt *n* kvīts

receiver *n (telefona)* klau-
sule

reception *n (viesu)* uz-
ņemšana

reception-desk *n* reģistrā-
cijas vieta *(viesnīcā)*

receptionist *n* reģistrators

recess *n (sēdes vai darba)*
pārtraukums

recipe *n (kulinārijas)* re-
cepte

recital *n* solokoncerts

record *n* 1. skaņuplate;
2. rekords

record-player *n (skaņu-
plašu)* atskaņotājs

recycling *n (izejvielu)* otr-
reizēja izmantošana

red *a* 1. sarkans; 2. ruds

reel *n (diegu)* spole

reference *n* uzziņa; r.
book — rokasgrāmata

refill *n (lodīšu pildspal-
vas)* serdenis

refresher *n* 1. *sar.* atspir-
dzinošs dzēriens; 2.: r.
course — kvalifikācijas
celšanas kursi

refreshment *n* 1. atspirdzi-
nājums; 2.: *pl* — uzko-
žamie; r. room — bu-
fete *(piem., stacijā)*

refrigerator *n* ledusskapis

refugee *n* bēglis; emi-
grants

regime *n* režīms; iekārta

region *n* apgabals; apvi-
dus; rajons

rehearsal *n (lugas)* mēģi-
nājums; dress r. — ģe-
nerālmēģinājums

relationship *n* savstarpējas
attiecības (saistības)

relative *n* radinieks; radi-
niece

religion *n* reliģija

remain *v* 1. palikt pāri,
atlikt; 2. palikt

remember *v* atcerēties

remittance *n* naudas pārvedums
renaissance *n:* the R. — Renesanse
rent I *n* 1. noma, rente; īre; 2. īres maksa; what's your r.? — cik maksājat par dzīvokli?; II *v* 1. nomāt, rentēt; īrēt; 2. iznomāt, izrentēt; izīrēt
repair *n* labošana; remonts
repertoire *n* repertuārs
replica *n* kopija
report *n* ziņojums; pārskats
reporter *n* reportieris
representative *n* pārstāvis
republic *n* republika
republican I *n* republikānis; II *a* republikas-
request *n* lūgums; prasība
research *n* pētniecība; r. work — zinātniski pētniecisks darbs; r. associate — zinātniskais līdzstrādnieks; r. worker — zinātnisks darbinieks
reservation *n* 1. rezervēta vieta *(viesnīcā);* to make a r. — pasūtīt vietu *(viesnīcā);* 2. rezervāts
resident *n* *(tastāvīgs)* iedzīvotājs
resign *v* atkāpties *(no amata)*
respectable *a* cienījams

rest *n* atpūta; to take a r. — atpūsties
restaurant *n* restorāns
rest-home *n* 1. nespējnieku pansionāts; 2. rehabilitācijas sanatorija
restoration *n* restaurācija, atjaunošana
restore *v* restaurēt, atjaunot
retail I *n* mazumtirdzniecība; II *v* pārdot mazumā
retire *v* aiziet pensijā
return I *n* atgriešanās; r. ticket — biļete atpakaļceļam; II *v* atgriezties, atdot
review I *n* 1. apskats; 2. recenzija; II *v* 1. izskatīt; 2. recenzēt
revolution *n* revolūcija
rheumatism *n* reimatisms
rhyme *n* 1. atskaņa; 2. dzejolis
rhythm *n* ritms
rib *n* riba
ribbon *n* lente
rice *n* rīss, rīsi
rich *n* bagāts
rider *n* jātnieks
riding I *n* jāšanas sports; II *a* jāšanas-; r. horse— jājamzirgs
rifle *n* šautene
rifleman *n* strēlnieks
right I *n* tiesības; II *a* 1. pareizs; r. you are! —

pareizi!; all r.! — labi!;
2. labais; r. hand —
labā roka; III *adv* 1. pa
labi; 2. pareizi
right-hand *a* labais; r.-h.
side — labā puse
ring[a] *n* 1. gredzens; 2. *sp.*
rings
ring[b] *n* zvanīšana; zvans;
to give a r. — piezva-
nīt; to r. up — piezva-
nīt *(pa telefonu)*
river *n* upe
road *n* ceļš; r. sign — ceļa
zīme; r. map — ceļu
karte
roast I *n* cepetis; II
a cepts; III *v* 1. cept;
2. cepties
rock[a] *n* klints
rock[b] *n* rokmūzika
rocket *n* rakete
rocket-base *n* raķešbāze
rod *n* makšķere
role *n* loma
roller-skates *pl n* skrituļ-
slidas
Roman I *n* 1. romietis;
romiete; 2. katolis; II

a romiešu-; R. nume-
rals — romiešu cipari
roof *n* jumts
room *n* istaba
root *n* sakne
rope *n* virve; tauva
rose *n* roze
rosy *a* rožains; sārts
roulette *n* rulete
Roumanian I *n* 1. rumānis;
rumāniete; 2. rumāņu
valoda; II *a* rumāņu-
round I *n* aplis; II *a* apaļš
route *n* maršruts
royal *a* karalisks
rubber *n* 1. gumija; kau-
čuks; 2. dzēšgumija
ruby *n* rubīns
ruler *n* lineāls
run *(p* ran; *p. p.* run)
v skriet
rush-hours *pl n* steigas
stundas
Russian I *n* 1. krievs; krie-
viete; 2. krievu valoda;
II *a* krievu-
rye *n* rudzi
rye-bread *n* rudzu maize

S s

sacred *a* svēts
sad *a* bēdīgs, skumjš
safe I *n* seifs; II *a* drošs;
neskarts

safety-belt *n* drošības jos-
ta
safety-pin *n* spraužam-
adata

safety-razor *n* bārdas skuveklis

sail I *n* bura; II *v* burāt

saint *n* svētais

salad *n* salāti

salary *n (kalpotāja)* alga

sale *n* 1. pārdošana; for s. — pārdodams; on s. — pārdošanā; 2. *(arī* bargain s.) izpārdošana *(par pazeminātām cenām)*

salesman *n* pārdevējs

saleswoman *n* pārdevēja

salmon *n* lasis

salt *n* sāls

saltcellar *n* sālstrauks

salty *a* sāļš; sālīts

sanatorium *(pl* sanatoria) *n* sanatorija

sand *n* smilts; smiltis

sandal *n* sandale

sandwich *n* sviestmaize, sendvičs

Santa Claus *n* Ziemsvētku vecītis

sardine *n* sardīne

sateen *n* satīns

satellite *n astr.* pavadonis

satin *n* atlass

satisfactory *a* apmierinošs; pietiekams

Saturday *n* sestdiena

sauce *n* mērce; s.-boat — mērces trauks

saucepan *n* kastrolis

saucer *n* apakštase; flying s. — lidojošais šķīvītis

sausage *n* desa; cīsiņš

save *v* krāt; taupīt

saving-bank *n* krājkase

saw *n* zāģis

sawmill *n* kokzāģētava

say *(p un p. p.* said) *v* teikt; sacīt

scaffold *n* sastatnes

scale *n* zvīņa; zvīņas; ~s *pl* — svari

Scandinavian I *n* 1. skandināvs; skandināviete; 2. skandināvu valodas; II *a* skandināvu-

scar *n* rēta

scarf *n* šalle; kaklauts

scarlet *a* spilgti sarkans; s. fever *med.* — skarlatīna

scenario *n* scenārijs

scene *n* 1. *teātr.* aina; 2. dekorācija

scene-painter *n* scenogrāfs

scenery *n* dekorācijas

scent *n* 1. smarža; 2. smaržas

schedule *n* grafiks; saraksts

scheme *n* plāns; projekts

scholar *n* zinātnieks

scholarship *n* stipendija

school *n* skola

schoolboy *n* skolnieks

schoolgirl *n* skolniece

schoolmaster *n* skolotājs

schoolmistress *n* skolotāja

sciene *n* zinātne; s. fiction — zinātniskā fantastika

scientific *a* zinātnisks

scientist *n* zinātnieks

sci-fi *n (saīs. no* science fiction) zinātniskā fantastika

scissors *n pl* šķēres

Scotch I *n* 1.: the S. — skoti; 2. skotu dialekts; 2. *sar.* skotu viskijs; **II** *a* 1. skotu; 2.: S. tape — līmlente

scout *n* skauts

screen *n* ekrāns

screen-play *n* kinoscenārijs

screw I *n* skrūve; **II** *v* pieskrūvēt

screwdriver *n* skrūvgriezis

scriptwriter *n (radio)* scenārists

sculpture *n* skulptūra

sea *n* jūra

seal *n* 1. ronis; 2. zīmogs

seaman *n* jūrnieks; matrozis

seashore *n* jūras krasts; pludmale

seasickness *n* jūras slimība

seaside *n* jūrmala

season *n* 1. gadalaiks; 2. sezona

seasoning *n* garšvielas

season-ticket *n* 1. sezonas biļete; 2. *(teātra)* abonements

seat *n* 1. sēdeklis; 2. sēdvieta

seat-belt *n* drošības josta

second I *num* otrais; s. floor — 1) trešais stāvs; 2) *amer.* otrais stāvs; **II** *n* sekunde

secondary *a* 1.: s. school— vidusskola

second-hand[a] *n (pulksteņa)* sekunžu rādītājs

second-hand[b] *a* lietots; s.-h. bookshop — antikvariāts

secret *n* noslēpums; the s. service — izlūkdienests

security *n* drošība; S. Council — Drošības Padome

see *(p* saw; *p. p.* seen) *v* 1. redzēt; 2. apskatīt, aplūkot

seed *n* sēkla

self-service *n* pašapkalpošanās; s.-s. shop — pašapkalpes veikals

sell *(p un p. p.* sold) *v* 1. pārdot; 2. tikt pārdotam

semiconductor *n fiz* pusvadītājs

semolina *n* mannas putraimi

senior *a* vecākais *(gados vai amatā)*

sensation *n* sensācija

sentence *n* 1. *jur.* spriedums; 2. *gram.* teikums

September *n* septembris
sergeant *n* seržants
serial *n* seriāls *(filma)*
sermon *n* sprediķis
serve *v* dienēt *(armijā)*
service *n* 1. dienests;
darbs; military s. — ka-
radienests; 2. apkalpo-
šana; s. station —
[automašīnu] tehniskās
apkopes stacija
session *n (parlamenta, tie-
sas)* sesija
set *n* 1. komplekts; 2.
aparāts; ierīce; 3. *sp.*
sets *(tenisā)*
seven *num* septiņi
seventeen *num* septiņpa-
dsmit
seventy *num* septiņdesmit
several *pron* daži; vairāki
sew *(p* sewed; *p. p.* sewed
vai sewn) *v* šūt
sewing-machine *n* šujma-
šīna
sex *n* 1. *biol.* dzimums;
2. sekss
shadow *n* ēna
shaker *n* šeikers *(trauks
kokteiļu maisīšanai)*
shallow *a* sekls
shampoo I *n* šampūns; II
v mazgāt galvu
share *n* akcija; paja
shareholder *n* akcionārs;
paju īpašnieks
shark *n* haizivs

sharp *a* ass
shave *n* skūšana; skūša-
nās; to have a sh. —
noskūties
shaver *n* bārdas skujamais
shaving-brush *n* bārdas ie-
ziepējamā ota
shawl *n* [plecu] šalle; la-
kats
she *pron* viņa
sheep *(pl* sheep) *n* aita
sheet *n* palags
shelf *(pl* shelves) *n* plaukts
shift *n* maiņa *(darbā)*
ship *n* kuģis
shipyard *n* kuģu būvētava
shirt *n (vīriešu)* krekls
shoe *n* kurpe
shoelace *n* kurpju saite
shoot *(p un p. p.* shot) *v* 1.
šaut; nošaut; 2. foto-
grafēt; uzņemt *(filmu)*
shop *n* 1. veikals; 2. darb-
nīca; cehs
shop-assistant *n* pārdevējs;
pārdevēja
shopping *n* iepirkšanās; to
do sh. — iepirkties
shore *n (jūras, ezera)*
krasts
short *a* 1. īss; 2. maza
auguma-
shorts *pl n* šorti
short-sighted *a* tuvredzīgs
shortwave *a radio* īsviļņu-
shot *n* 1. šāviens; 2. ki-
nokadrs

shoulder *n* plecs
shout I *n* kliedziens; II *v* kliegt
show *n* 1. parādīšana; demonstrēšana; 2. izstāde; skate; 3. izrāde
shower *n* duša
shrimp *n* garnele
shrub *n* krūms
sick *a* 1. slims; 2.: to feel s. — just nelabumu; to be s. — vemt
sick-leave *n* slimības atvaļinājums
sickness *n* 1. slimība; 2. nelabums
sick-pay *n* slimības pabalsts
side *n* 1. mala; 2. puse
sideboard *n* bufete; trauku skapis
sidewalk *n* *amer.* ietve
sight *n* 1. redze; 2. skatiens; s.-read — lasīt no lapas *(mūzikā)*
sightseeing *n* ievērojamu vietu apskatīšana; to go s. — apskatīt ievērojamākās vietas
sign I *n* zīme; II *v* 1. parakstīt; 2. parakstīties
signal *n* signāls
signature *n* paraksts
signboard *n* izkārtne
signpost *n* ceļa rādītājs
silent *a* kluss; s. film — mēmā filma

silk *n* zīds
silver I *n* sudrabs; II *a* sudraba-
similar *a* līdzīgs
simmer *v* lēni vārīties; lēni vārīt
simulator *n* trenažieris
sin I *n* grēks; II *v* grēkot
since *conj* kopš
sing *(p* sang; *p. p.* sung) *v* dziedāt
singer *n* dziedātājs; dziedātāja
single *a* 1. vienvietīgs; s. room — istaba vienam cilvēkam; s. ticket — biļete turpceļam; 2. neprecējies
singular *n gram.* vienskaitlis
sink *n* izlietne
sir *n* sers, kungs
sister *n* māsa
sister-in-law *n* svaine
sit *(p un p. p.* sat) *v* sēdēt; to s. down — apsēsties
sitting-room *n* dzīvojamā istaba; viesistaba
six *num* seši
sixteen *num* sešpadsmit
sixty *num* sešdesmit
size *n* lielums
skate I *n* slida; II *v* slidot
skateboard *n* skrejdēlis
skating-rink *n* slidotava
skeleton *n* skelets

301

ski I *n (pl* ski *vai* skis)
slēpe; slēpes; II *v (p un
p. p.* ski'd) slēpot
skin *n* 1. āda; 2. miza
skirt *n (sieviešu)* svārki
sky *n* debesis
skyjack *n* gaisa pirātisms
skyscaper *n* debesskrāpis
slacks *pl n* garās bikses
Slav I *n* slāvs; slāviete;
II *a* slāvu-
slave *n* vergs
slavery *n* verdzība
sledge *n* kamanas, ragavas
sleep *n* miegs
sleeping-bag *n* guļammaiss
sleeping-car *n* guļamva-
gons
sleeve *n* piedurkne
slice I *n* šķēle; II
v [sa]griezt šķēlēs
slide *n* diapozitīvs; slaids
slim *a* tievs, slaids
slip *n (sieviešu)* kombinē
slipper *n* rītakurpe
slot-machine *n (kases)* au-
tomāts
Slovak I *n* 1. slovāks; slo-
vākiete; 2. slovāku va-
loda; II *a* slovāku-
slow *a* lēns, gauss
small *a* mazs, neliels
smallpox *n med.* bakas
smell *n* smarža; smaka
smile I *n* smaids; II
v smaidīt

smoke I *n* dūmi; II *v* smē-
ķēt
smoking-car *n* smēķētāju
vagons
snack *n* uzkožamais; to
have a s. — uzkost
snack-bar *n* bufete, uz-
kožamo bārs
snail *n* gliemezis
snake *n* čūska
snapshot *n* momentuzņē-
mums
sneeze I *n* šķavas; II
v šķaudīt
snore I *n* krākšana; II
v krākt
snow *n* sniegs
snowman *n* sniegavīrs
soap *n* ziepes
society *n* 1. sabiedrība;
2. biedrība
sociology *n* socioloģija
sock *n (īsā)* zeķe
soft *a* 1. mīksts; 2. kluss;
(par skaņu) maigs;
liegs; 3. *(par dzērienu)*
bezalkoholisks
soil *n* zeme, augsne
solarium *n* solārijs
soldier *n* kareivis
sole *n* pazole
solicitor *n* advokāts
solution *n* 1. šķīdums; 2.
atrisinājums
some *a* 1. [kaut] kāds; 2.
mazliet, nedaudz
somebody *pron* kāds

somehow *adv* kaut kā
someone *pron* kāds
something *pron* kaut kas
sometimes *adv* dažreiz
somewhere *adv* kaut kur
son *n* dēls
song *n* dziesma
son-in-law *n* znots
soon *adv* drīz; ātri
sort *n* veids; suga; šķirne
so-so *adv* tā nekas
soul *n* dvēsele
sound *n* skaņa; s.-track —
skaņu ieraksta celiņš
soup *n* zupa
sour *a* skābs
south I *n* dienvidi; II
a dienvidu-; III *adv* uz
dienvidiem
southern *a* dienvidu
souvenir *n* suvenīrs
sovereignty *n* suverenitāte
space *n* 1. telpa; 2. kosmoss
spaceship *n* kosmosa ku-
ģis
Spaniard *n* spānietis; spā-
niete
Spanish I *n* spāņu valoda;
II *a* spāniešu-, spāņu-
spanner *n* uzgriežņu atslē-
ga
spare *a* rezerves-; s.
parts — rezerves daļas
sparking-plug *n* (*iekšde-
dzes motora*) svece
speak (*p* spoke; *p. p.* spo-
ken) *v* runāt

speaker *n* 1. runātājs; ora-
tors; 2. skaļrunis
spearmint *n* dārza pipar-
mētra
specialist *n* speciālists
spectacles *pl n* brilles
spectator *n* skatītājs
speech *n* runa; to make
a s. — teikt runu
speed *n* ātrums
speeding *n* (*atļautā*)
braukšanas ātruma
pārsniegšana
speed-limit *n* (*braukša-
nas*) ātruma ierobežo-
jums
speed-skating *n* ātrslido-
šana
speedway *n* spīdvejs, ātr-
ceļš
spelling *n* pareizrakstība
spice *n* garšviela
spider *n* zirneklis
spinach *n* spināti
spin-drier *n* centrifūga
(*veļai*)
spine *n* *anat* mugurkauls
spinster *n* vecmeita
spire *n* (*torņa*) smaile
spirit *n* 1. gars; 2.: ~s
pl — alkohols, spirts
splash-board *n* dubļusargs
spokesman *n* pārstāvis
sponge *n* sūklis
sponge-cake *n* biskvītkūka
sponsor *n* atbalstītājs;
sponsors

spool *n* spole
spoon *n* karote
sport *n* sports; to go in
for ~s — nodarboties
ar sportu
sportsman *n* sportists
sprat *n* šprote; ķilava
sprain *n* izmežģījums;
sastiepums
spray *n* aerosols
spring *n* pavasaris
springboard *n* tramplīns
spy *n* spiegs
square *n* 1. kvadrāts; 2.
laukums
squash *n* biezsula
squirrel *n* vāvere
stadium *n* stadions
staff *n* štats; personāls
stage *n* skatuve
stain *n* traips
stainless *a* nerūsošs *(par
tēraudu)*
stair *n* 1. *(kāpņu)* pakā-
piens; 2.:~s *pl* — kāp-
nes
stamp *n* pastmarka
stamp-collector *n* past-
marku krājējs
star *n* zvaigzne
starch I *n* ciete; II *v* cietināt
start *n* 1. sākums; 2. starts
state *n* 1. valsts; 2. štats
statesman *n* valstsvīrs
station *n* stacija; railway
s. — dzelzceļa stacija;
lifeboat s. — glābšanas

stacija; broadcasting
s. — raidstacija
stationery *n* rakstāmpie-
derumi, rakstāmlietu
veikals
statistics *n* statistika
statue *n* statuja
stay I *n* uzturēšanās; II
v uzturēties; viesoties
steak *n (dabisks)* bifšteks
steal *(p* stole; *p. p.* stolen)
v [no]zagt
steam *n* tvaiks
steamer *n* tvaikonis
steel *n* tērauds
steelworks *pl n* tēraudlie-
tuve
steering-wheel *n* 1. stū-
resrats; 2. *(automašī-
nas)* stūre
step *n* solis
stepdaughter *n* pameita
stepfather *n* patēvs
stepmother *n* pamāte
stepson *n* padēls
stew I *n* sautēta gaļa; II
v sautēt *(gaļu);* ~ed
fruit — kompots
steward *n* stjuarts *(uz ku-
ģa)*
stewardess *n* stjuarte
stock-breeding *n* lopkopī-
ba
stocking *n (sieviešu)* zeķe
stomach *n* kuņģis; vēders
stone *n* 1. akmens; 2.
(augļa) kauliņš

stool *n* ķeblis
stop I *n* apstāšanās; II *v* 1. apstādināt; 2. apstāties
stop-light *n (automašīnas)* stopsignāls
stopwatch *n* hronometrs
store *n* 1. noliktava; 2. veikals; department s. — universālveikals
storey *n (ēkas)* stāvs
storm *n* vētra
story *n* stāsts; short s. — īsais stāsts; novele
stout *a* pilnīgs
stove *n* krāsns; plīts
straight *adv* taisni
strait *n* jūras šaurums
strange *a* 1. svešs; nepazīstams; 2. savāds, dīvains
stranger *n* svešinieks
strap *n* siksna
straw *n* salms; salmi
strawberry *n* zemene
stream *n* straume
street *n* iela; in the s. — uz ielas
streetcar *n amer.* tramvajs
stress *n* stress
stretcher *n* nestuves
strike I *n* streiks; to go on s. — streikot; II *v* streikot
string *n* 1. aukla; saite; 2. *(mūzikas instrumenta)* stīga
striped *a* svītrains

strong *a* 1. stiprs; spēcīgs; 2. *(par dzērienu)* alkoholisks
stucco *n (sienu)* apmetums
student *n* students; studente
study I *n* 1. studēšana; pētīšana; 2. darbistaba; kabinets; II *v* 1. studēt; pētīt; 2. mācīties, studēt
stuff *n* viela; materiāls
stupid *a* muļķīgs; stulbs
style *n* 1. stils; 2. mode; fasons
subject *n (mācību)* priekšmets
submarine *n* zemūdene
subscribe *v* parakstīties *(uz laikrakstiem u. tml.);* abonēt
subscription *n* parakstīšanās *(uz laikrakstiem u. tml.)*
suburb *n* priekšpilsēta; piepilsēta
subway *n* 1. *(apakšzemes)* pāreja, tunelis; 2. *amer.* metropolitēns
success *n* sekmes; veiksme
successful *a* sekmīgs; veiksmīgs
such *a pron* tāds
suddenly *adv* pēkšņi
sugar *n* cukurs
sugar-basin *n* cukurtrauks
sugar-beet *n* cukurbiete
sugar-cane *n* cukurniedre

suicide *n* pašnāvība; to commit s. — izdarīt pašnāvību

suit *n* uzvalks

suitcase *n* ceļasoma

sum *n* summa

summary *n* kopsavilkums; pārskats

summer *n* vasara; s. time — vasaras laiks

summit *n* 1. virsotne; 2. augstākā pakāpe; s. talks — sarunas visaugstākajā līmenī

sun *n* saule

sunburn I *n* iedegums; II *v* sauļoties

Sunday *n* svētdiena

sunflower *n* saulespuķe

sunny *a* saulains

sunrise *n* saullēkts

sunset *n* saulriets

sunstroke *n* saules dūriens

suntan *n* iedegums

superhighway *n* amer. automaģistrāle

supermarket *n* pašapkalpes [universāl]veikals

supersonic *a* ultraskaņas-, virsskaņas-

supper *n* vakariņas

supreme *a* augstākais

sure *a* drošs; neklūdīgs

surgeon *n* ķirurgs

surname *n* uzvārds

surprise *n* pārsteigums

survey *n* pārskats

swallow *v* norīt

swear-words *pl n* lamu vārdi

sweater *n* svīteris

Swede *n* zviedrs; zviedriete

Swedish I *n* zveidru valoda; II *a* zviedru-

sweet I *n* 1. konfekte; 2. saldais ēdiens; II *a* salds

swim I *n* peldēšana; to have a s. — izpeldēties; II *v* (*p* swam; *p. p.* swum) peldēt

swimming-pool *n* peldbaseins

Swiss I *n* šveicietis; šveiciete; II *a* šveiciešu-

switch I *n* el. pārslēdzējs; II *v* el. pārslēgt; to s. off — izslēgt (*strāvu*); to s. on — ieslēgt (*strāvu*)

sword *n* zobens

syllabus *n* mācību programma

symphony *n* simfonija; s. orchestra — simfoniskais orķestris

symptom *n* simptoms

synagogue *n* sinagoga

synopsis *n* īss apskats

synthetic *a* sintētisks

syringe *n* šļirce

syrup *n* sīrups

system *n* sistēma

306

T t

table *n* 1. galds; 2. tabula
tablecloth *n* galdauts
Ta[d]jik I *n* 1. tadžiks; tadžikiete; 2. tadžiku valoda; II *a* tadžiku-
tail *n* aste
tailcoat *n* fraka
tail-light *n (automašīnas, lidmašīnas)* pakaļējās gabarītugunis
tailor *n* drēbnieks
take *(p* took; *p. p.* taken) *v* [pa]ņemt
take-off *n (lidmašīnas)* pacelšanās
talented *a* talantīgs
talk *n* saruna
talking-to *n* rājiens
tall *a* liela auguma-; garš
tangerine *n* mandarīns
tank *n* 1. cisterna, tvertne; 2. tanks
tanker *n* tankkuģis
tap *n* krāns
tape *n* lente; red tape — birokrātisms
tape-recorder *n* magnetofons
tapestry *n* gobelēns
target *n* mērķis
tart *n* pīrāgs; apple t. — ābolu pīrāgs
task *n* uzdevums
taste *n* 1. garša; 2. gaume

tasty *a* garšīgs
tax I *n* nodoklis; revenue t. — ienākuma nodoklis; II *v* aplikt ar nodokli; III *a* t.-free atbrīvots no nodokļiem
taxi *n* taksometrs; t. rank — taksometru stāvvieta
tea *n* tēja; t. bag — tējas maisiņš
teach *(p un p. p.* taught) *v* [ap]mācīt
teacher *n* skolotājs
teacup *n* tējas tase
team *n* 1. *(sporta)* komanda; 2. *(strādnieku)* brigāde
tea-party *n* tējas vakars *(viesības)*
teapot *n* tējkanna
tear *n* asara
technology *n* 1. tehnika; 2. tehnoloģija
teenager *n* pusaudzis; pusaudze
telecast *n* televīzijas raidījums
telecontrol *n* tālvadīšana
telefax I *n* telefakss; II *v* nosūtīt informāciju pa telefaksu
telegram *n* telegramma
telegraph *n* telegrāfs

telephone I *n* telefons; t. directory — telefona abonentu saraksts; t. booth *amer.* — telefona kabīne; mobile t. — mobilais telefons; **II** *v* telefonēt

teletype *n* teletaips

telex I *n* **1.** telekss; **II** *v* nosūtīt telegrammu *(pa teletaipu)*

tell *(p un p. p.* told) *v* **1.** stāstīt; **2.** teikt, sacīt

telly *n* *sar.* televizors; what's on t.? — ko rāda pa televizoru?

temperature *n* temperatūra

temple[a] *n* deniņi

temple[b] *n* templis

ten *num* desmit

tenant *n* **1.** nomnieks; rentnieks; **2.** īrnieks

tennis *n* teniss

tennis-court *n* tenisa laukums

tent *n* telts

term *n* semestris

terminal *n* galapunkts; galastacija; bus t. — autostacija

terrace *n* terase

territory *n* teritorija

terror *n* šausmas

test *n* **1.** tests; **2.** ieskaite

testament *n* **1.** testaments; **2.** *bazn.* derība; Old.

T. — Vecā Derība; New T. — Jaunā Derība

text *n* teksts

textbook *n* mācību grāmata

textile I *n* :∼s *pl* — audumi, tekstilpreces; **II** *a* tekstil-; t. industry — tekstilrūpniecība

than *conj (aiz salīdzinājuma)* nekā; par

thank I *n:* ∼s *pl* pateicība; many ∼s! — liels paldies!; **II** *v* pateikties; th. you! — pateicos!

that *(pl* those) **I** *pron* **1.** tas; tā; th. is true — tas ir tiesa; **2.** kas, kurš; **II** *conj* **1.** ka; **2.** lai

thaw I *n* atkusnis; **II** *v* kust

theatre *n* teātris

their *pron (piederības locījums no* they) viņu; th. garden — viņu dārzs

them *pron (papildinātāja locījums no* they) viņus; viņiem

then *adv* **1.** tad; **2.** pēc tam

therapeutist *n* terapeits

there *adv* tur

therefore *adv* tādēļ

thermometer *n* termometrs

thesis *(pl* theses) *n* **1.** tēze; **2.** disertācija

308

they *pron* viņi; viņas
thick *a* biezs
thief *(pl* thieves) *n* zaglis
thin *a* 1. plāns; 2. vājš, tievs
thing *n* 1. lieta; priekš-
  mets; 2.: ~s *pl* — man-
  ta; apģērbs
think *(p un p. p.* thought)
  v 1. domāt; 2. uzskatīt
third *num* trešais
thirst *n* slāpes
thirteen *num* trīspadsmit
thirty *num* trīsdesmit
this *(pl* these) *pron* šis; šī
thousand I *n* tūkstotis; II
  num tūkstoš
thread *n* diegs
three *num* trīs
thriller *n* grāvējs *(filma,
  luga, grāmata u. tml.)*
throat *n* rīkle
through I *adv* cauri; II
  prep caur; pa
thug *n* bandīts
thumb *n* īkšķis
thunder *n* pērkons
thunderstorm *n* pērkona
  negaiss
Thursday *n* ceturtdiena
thus *adv* tā; tādā veidā
ticket *n* biļete
ticket-collector *n* biļešu
  kontrolieris
tie *n* kaklasaite; t.-clasp —
  kaklasaites adata
tight *a (par apģērbu, apa-
  viem)* šaurs

tights *n pl* zeķbikses
till I *prep* līdz; II *conj* ka-
  mēr
timber *n* kokmateriāli
time *n* laiks
timetable *n* 1. *(vilcienu)*
  saraksts; 2. *(darba)*
  grafiks
tin *n* konservu kārba
tin-opener *n* konservu na-
  zis
tip *n* dzeramnauda
title *n* 1. virsraksts; nc-
  saukums; 2. tituls
title-role *n* titulloma
to *prep (norāda virzienu)*
  uz; pa; līdz
toast[a] *n* tosts; to drink a t.
  to smb. — dzert uz kā-
  da veselību
toast[b] I *n* grauzdiņš; II
  v grauzdēt
toaster *n* tosters *(grauz-
  dēšanas ierīce)*
tobacco *n* tabaka
toboggan I *n* kamaniņas; II
  v braukt ar kamaniņām
today *adv* šodien
toe *n* 1. kājas pirksts; 2.
  (zeķes, zābaka) purn-
  gals
together *adv* kopā
toilet *n* tualete
toll *n* nodoklis *(par ceļa
  lietošanu)*
tomato *n* tomāts
tomb *n* kaps

tomorrow *adv* rīt
ton *n* tonna
tongue *n* 1. mēle; 2. valoda
tonic *n* 1. tonizējošs līdzeklis; 2. tonikss *(dzēriens)*
tonight *adv* šovakar; šonakt
too *adv* 1. arī; 2. pārāk
tool *n* darbarīks, instruments
tooth *(pl teeth) n* zobs
toothache *n* zobu sāpes
toothbrush *n* zobu suka
toothpaste *n* zobu pasta
toothpick *n* zobu bakstāmais
topic *n* temats
torch *n* elektriskais lukturītis
touch I *n* pieskaršanās; II *v* pieskarties
tour I *n* ceļojums; brauciens; foreign t. — ārzemju brauciens; II *v* [ap]ceļot
tourist *n* tūrists; t. agency — tūrisma birojs
towards *prep (norāda virzienu)* uz
towel *n* dvielis
towel-horse *n* dvieļu pakaramais
tower *n* tornis
town *n* pilsēta; t. hall — rātsnams; t. council — municipalitāte

townspeople *pl n* pilsētnieki
toy *n* rotaļlieta
track *n (dzelzceļa)* sliežu ceļš
track-and-field *n (arī t.-a.-f. athletics)* vieglatlētika
tractor *n* traktors
tractor-driver *n* traktorists
trade *n* tirdzniecība
trademark *n* firmas zīme
trade-union *n* arodbiedrība
tradition *n* tradīcija
traffic *n* satiksme; transports; t. lights — luksofors; t. police — autoinspekcija; t. regulations — satiksmes noteikumi
trafficator *n (automašīnas)* virzienrādis
trailer *n* 1. *(automašīnas)* piekabe; 2. autofurgons
train *n* vilciens
trainee *n* māceklis; praktikants
trainer *n* treneris
training *n* 1. apmācība; 2. treniņš
tram *n* tramvajs
tranquillizer *n med.* trankvilizators, nomierinošs līdzeklis
transistor *n* tranzistors
translate *v* tulkot

translation *n* tulkojums

translator *n* tulkotājs

transmitter *n* *(radio)* raidītājs

transparent *a* caurspīdīgs

travel I *n* ceļojums; II *v* ceļot

traveller *n* ceļotājs

trawler *n* traleris

tray *n* paplāte

treadle *n* pedālis

treaty *n* līgums

tree *n* koks

triangle *n* trīsstūris

tribe *n* cilts

trip *n* ceļojums; brauciens

trolley *n* *(tējas)* galdiņš *(uz ritentiņiem)*

trolley-bus *n* trolejbuss

troops *n* karaspēks

tropical *a* tropisks

trouble *n* nepatikšanas

trousers *pl n* bikses

trout *n* forele

truck *n* kravas automašīna

trumpet *n* taure; trompete

trustee *n* aizbildnis

truth *n* patiesība

T-shirt *n* teniskrekls

tube *n* 1. caurule; 2. *(Londonas)* metro

Tuesday *n* otrdiena

tulip *n* tulpe

tumour *n* audzējs

tune I *n* melodija

tunnel *n* tunelis

Turk *n* turks; turciete

turkey *n* tītars

Turkish I *n* turku valoda; II *a* turku-; T. towel — frotē dvielis

Turkoman *n* 1. turkmēnis; turkmēniete; 2. turkmēņu valoda

turn *n* pagrieziens

turner *n* virpotājs

turtle *n* *(jūras)* bruņurupucis

tweed *n* *tekst.* tvīds

twelve *num* divpadsmit

twenty *num* divdesmit

twins *pl n* dvīņi

two *num* divi

two-way *a* divvirzienu- *(par ielu)*

type *n* tips; blood t. — asinsgrupa

typewriter *n* rakstāmmašīna

typhoid *n* tīfs

typhoon *n* taifūns

typist *n* mašīnrakstītāja

tyre *n* riepa

U u

ugly *a* 1. neglīts; 2. pretīgs
Ukrainian I *n* 1. ukrainis;
ukrainiete; 2. ukraiņu
valoda; II *a* ukraiņu-
umbrella *n* lietussargs
uncle *n* tēvocis
unconscious *a* zaudējis sa-
maņu
under *prep* zem
underclothes *n pl* apakšveļa
underground *n* metro
understand *v (p un p. p.*
understood) saprast
understanding *n* saprašanās
underwear *n* apakšveļa
undress *v* izģērbt
unemployment *n* bez-
darbs; u. pay — bez-
darbnieku pabalsts
unhappy *a* nelaimīgs
uniform *n* formas tērps;
uniforma
union *n* 1. savienība; 2.
apvienība

unit *n* vienība
universe *n* visums
university *n* universitāte
unknown *a* nepazīstams;
nezināms
unmarried *a* neprecējies
unskilled *a* nekvalificēts
up *adv* augšā; augšup
upbringing *n* audzināšana
upstairs *adv* 1. augšup pa
kāpnēm; 2. augšstāvā
us *pron (papildinātāja lo-
cījums no* we) mūs;
mums
use *n* lietošana
used *a* lietots; vecs
usher *n* vietu ierādītājs
(piem., kinoteātrī)
usual *a* parasts
utilities *n* komunālie uz-
ņēmumi
Uzbek I *n* 1. uzbeks; uz-
bekiete; 2. uzbeku va-
loda; II *a* uzbeku-

V v

vacancy *n* vakance, brīva
vieta
vacation *n* 1. brīvdienas;
2. *amer.* atvaļinājums

vacuum cleaner *n* putekļ-
sūcējs
valley *n* ieleja
value *n* vērtība

van *n* **1.** automašīna *(pre-ču izvadāšanai)*; **2.** *(ba-gāžas)* vagons
various *a* dažāds
varnish I *n* laka; **II** *v* lakot
vase *n* vāze
vast *a* plašs
veal *n* teļa gaļa
vegetable I *n* dārzenis; **II** *a* augu-; v. oil — augu eļļa
vegetarian I *n* veģetārietis; **II** *a* veģetārs
vehicle *n* satiksmes līdzeklis
vein *n* vēna
velvet *n* samts
velveteen *n* velvets
Venetian blind *a, n* žalūzija
verse *n* **1.** pants; **2.** dzejolis; **3.** dzeja
very *adv* ļoti
veterinary *a* veterinārs; v. surgeon — veterinār-ārsts
via *prep* caur; v. London — caur Londonu
vicar *n* vikārs; palīgmā-cītājs
vice-chairman *n* priekšsē-dētāja vietnieks
vice-president *n* vicepre-zidents
vice versa *adv* otrādi
victory *n* uzvara
video *a:* v. recording — videoieraksts; v. tape — videolente

Vietnamese I *n* vjetnamie-tis; vjetnamiete; **II** *a* vjetnamiešu-
view *n* skats; ainava
village *n* ciems
vinegar *n* etiķis
vineyard *n* vīna dārzs
violet I *n* vijolīte; **II** *a* violets
violin *n* vijole
violinist *n* vijolnieks
visa *n* vīza; entrance v. — iebraukšanas vīza; through (transit) v. — tranzītvīza; to get a v. — saņemt vīzu; to grant a v. — izsniegt vīzu
vision *n* redze
visit I *n* apmeklējums; to pay a v. — apmeklēt; **II** *v* apmeklēt
visiting-card *n* vizītkarte
visitor *n* apmeklētājs; vie-sis
viva voce *n* mutvārdu ek-sāmens
vocabulary *n* **1.** vārdu krā-jums; **2.** vārdnīca; vār-du saraksts
vocation *n* profesija; no-darbošanās; v. school — arodskola; v. guid-ance — profesionālā orientācija
voice *n* balss
vogue *n* mode; in v. — modē

volleyball *n* volejbols
volume *n (grāmatas)* sē-
jums
volunteer I *n* brīvprātī-
gais; II *v* brīvprātīgi
pieteikties
vote I *n* 1. balsošana; to
put to the v. — likt uz
balsošanu; 2. balss *(vē-*

lēšanās); to cast a v. —
balsot; II *v* balsot
voter *n* vēlētājs
voucher *n (maksājuma)*
kvīts; dokuments; gift
v. — *(pērkamai precei
pievienots)* prēmijas
kupons; luncheon v. —
pusdienu talons
voyage *n (jūras)* ceļojums

Ww

waffle *n* vafele
waffle-iron *n* vafeļu panna
wage *n (parasti pl)* alga;
real ~s — reālā alga;
living w. — iztikas mi-
nimums
wage-cut *n* algu samazi-
nāšana
wage-freeze *n* algu iesal-
dēšana
waist *n* viduklis
waistcoat *n* veste
wait *v (for)* gaidīt
waiter *n* oficiants
waiting-room *n* uzgaidā-
mā telpa
waitress *n* oficiante
walk *n* pastaiga; to go for
a w. — doties pastaigā
walkie-talkie *n* portatīva
radioiekārta

wall *n* 1. siena; w. sys-
tem — *(mēbeļu)* sekci-
ja; 2. mūris; valnis
wallpaper *n* tapetes
walnut *n* 1. valrieksts; 2.
riekstkoks
waltz *n* valsis
war *n* karš; at w. — kara
stāvoklī
ward *n (slimnīcas)* palāta
wardrobe *n (drēbju)* skapis
warehouse *n* noliktava
warm *a* silts
warship *n* karakuģis
wart *n* kārpa
wash *v* 1. mazgāt; 2.
mazgāties
washing-machine *n* veļas
mazgājamā mašīna
waste-paper-basket *n* pa-
pīrgrozs

watch *n (rokas vai ka-
batas)* pulkstenis; by
my w. — pēc mana
pulksteņa

watch-maker *n* pulksteņ-
meistars

water *n* ūdens

water-colour *n* 1. akvareļ-
krāsa; 2. akvarelis

waterfall *n* ūdenskritums

watering-can *n* lejkanna

waterlilly *n* ūdensroze

watermelon *n* arbūzs

wave I *n* vilnis; II *v* ievei-
dot *(matus)*

wax *n* vasks

waxwork *n* vaska figūra

way *n* ceļš

we *pron* mēs

wealthy *a* turīgs; pārticis

weapon *n* ierocis

wear *(p* wore; *p. p.* worn)
v valkāt *(apģērbu)*

weather *n (meteoroloģis-
kais)* laiks; w. fore-
cast — laika prognoze

web *n* zirnekļtīkls

wedding *n* kāzas; laulības

wedding-ring *n* laulības
gredzens

Wednesday *n* trešdiena

weed I *n* nezāle; II *v* ravēt

week *n* nedēļa

weekday *n* darbdiena

weekend *n* nedēļas nogale

weekly *n* iknedēļas laik-
raksts *(žurnāls)*

weep *(p un p. p.* wept)
v raudāt

weigh *v* 1. 1. nosvērt; 2.
nosvērties

weight *n* svars; to put on
w. — pieņemties svarā;
to lose w. — novājēt

welcome *n* uzņemšana; to
give a warm w. — sir-
snīgi uzņemt

well[a] *n* aka

well[b] *(comp* better; *sup.*
best) *adv* labs

Welsh I *n* 1.: the W. —
velsieši; 2. velsiešu va-
loda; II *a* velsiešu-

west I *n* rietumi; II *a* rie-
tumu-; III *adv* uz rie-
tumiem

western *n* vesterns, kov-
bojfilma

wet *a* slapjš; mitrs

what *pron* kas; ko; kāds

wheat *n* kvieši

wheel *n* ritenis

wheel-chair *n (invalīdu)*
braucamkrēsls

when I *adv* kad; II *conj*
kad; tai laikā, kad

where *adv* 1. kur; 2. kurp

whether *conj* vai

which *a* kāds; kurš

whiskers *n pl* 1. vaigubār-
da; 2. *(kaķa)* ūsas

whisky *n* viskijs

whisper I *n* čuksts; II
v čukstēt

white *a* balts
whitewash *n* balsināšana
Whitsun, Whitsunday *n*
Vasarsvētki
who *pron* kas; kurš
wholesale *n* vairumtirdz-
niecība
whom *pron (papildinātāja*
locījums no who) kam;
kuram; ko; kuru
whose *pron (piederības lo-*
cījums no who) kā; ku-
ra; w. house is it? — kā
māja tā ir?
why *adv* kādēļ
wide *a* plats
widow *n* atraitne
widower *n* atraitnis
width *n* platums
wife *n* sieva
wig *n* parūka
wild *a* mežonīgs; savvaļas
willow *n* vītols
win *(p un p. p.* won) *v* uz-
varēt
wind *n* vējš
wind-instrument *n* pūša-
mais instruments
windmill *n* vējdzirnavas
window *n* logs
window-dressing *n* skatlo-
ga dekorējums
window-pane *n* loga rūts
windscreen *n (automašī-*
nas) aizsargstikls

windscreen-wiper aizsarg-
stikla tīrītājs
wine *n* vīns
wing *n* spārns
winter *n* ziema
wire *n* stieple
wish I *n* vēlēšanās; II *v* vēlēt
with *prep* ar
without *prep* bez
witness *n* [acu]liecinieks
wolf *n* vilks
woman *(pl* women) *n* sie-
viete
wonderful *a* brīnišķīgs; ap-
brīnojams
woodcut *n* kokgriezums
wooden *a* koka-
wool *n* **1.** vilna; **2.** vilnas
audums
word *n* vārds
work *n* darbs
workday *n* darbdiena
worker *n* strādnieks
workshop *n* darbnīca
world *n* pasaule
worm *n* tārps
wrap *v* ietīt
wreath *n* vainags
wrestler *n* cīkstonis
wrinkle *n* grumba
wristwatch *n* rokas pulk-
stenis
write *(p* wrote; *p. p.* writ-
ten) *v* rakstīt
writer *n* rakstnieks
wrong *adv* nepareizi

X x

Xerox *n* kserokss *(aparāts fotokopiju izgatavošanai)*
Xmas *n sk.* **Christmas**

X-ray I *n:* ~s *pl* — rentgenstari; **II** *v* caurskatīt ar rentgenstariem
xylophone *n* ksilofons

Y y

yacht *n* jahta
yachting *n* burāšana
yardᵃ *n* jards *(91,4 cm)*
yardᵇ *n* pagalms
year *n* gads; y. in y. out — gadu no gada; all the y. round — cauru gadu
year-book *n* gadagrāmata
yeast *n* raugs
yellow *a* dzeltens
yes *partic* jā
yesterday *adv* vakar
yet I *adv* 1. vēl; not y. — vēl ne; 2. līdz šim; **II** *conj* tomēr

yolk *n (olas)* dzeltenums
yog[h]urt *n* jogurts
you 1. jūs; tu; 2. *(papildinātāja locījums)* jums; jūs; tev; tevi
young *a* jauns
your *pron* jūsu; tavs
yours *pron* jūsu; tavs; faithfully y. — jūsu uzticamais *(vēstules nobeigumā)*
yourself *(pl* yourselves) *pron* 1. sev; sevi; 2. pats
youth *n* 1. jaunība; 2. jaunatne

Z z

zebra *n* zebra; z. crossing — *(gājēju)* pāreja
zero *n* nulle
zinc *n* cinks
zip[per] *n* rāvējslēdzējs

zodiac *n astr.* zodiaks; signs of the z. — zodiaka zīmes
zoo *n* zooloģiskais dārzs
zoology *n* zooloģija

Zemes, kurās oficiālā valoda ir angļu valoda

Eiropa – Europe

1. Gibraltārs – Gibraltar
2. Īrija – Ireland
3. Lielbritānija – Great Britain
4. Malta – Malta

Āzija – Asia

5. Bangladeša – Bangladesh
6. Bruneja – Brunei
7. Filipīnas – Philippines
8. Indija – India
9. Pakistāna – Pakistan
10. Singapūra – Singapore
11. Sjangana (Honkonga) – Siangan, Hong Kong

Āfrika – Africa

12. Botsvāna – Botswana
13. Dienvidāfrikas Republika – Republic of South Africa
14. Gambija – Gambia
15. Gana – Ghana
16. Kamerūna – Cameroon
17. Kenija – Kenya
18. Lesoto – Lesotho
19. Libērija – Liberia
20. Malāvi – Malawi
21. Namībija – Namibia
22. Nigērija – Nigeria
23. Seišeļu salas – Seychelles
24. Sjerraleone – Sierra Leone
25. Svazilenda – Swaziland
26. Tanzānija – Tanzania
27. Uganda – Uganda
28. Zambija – Zambia
29. Zimbabve – Zimbabve

Amerika – America

30. ASV – USA
31. Antigva un Barbuda – Antigua and Barbuda
32. Antiļu salas – Antilles
33. Bahamas – Bahamas
34. Barbadosa – Barbados
35. Beliza – Belize
36. Bermuda – Bermuda
37. Dominika – Dominica
38. Grenada – Grenada
39. Jamaika – Jamaica
40. Kanāda – Canada
41. Puertoriko – Puerto Rico
42. Trinidada un Tobago – Trinidad and Tobago
43. Gajana – Guyana

Austrālija un Okeānija – Australia and Oceania

44. Austrālija – Australia
45. Fidži – Fiji
46. Rietumsamoa – Western Samoa
47. Guama – Guam
48. Zālamana salas – Solomon Islands
49. Papua-Jaungvineja – Papua New Guinea
50. Jaunzēlande – New Zealand
51. Havaju salas – Hawaii
52. Kiribati – Kiribati
53. Kokosu salas – Cocos Islands
54. Kuka salas – Cook Islands
55. Mikronēzija – Micronesia
56. Nauru – Nauru

Piezīmēm